p

Copyright © 2004 Nederlandstalige editie
Parragon Books Ltd
Queen Street House
4 Queen Street
Bath BA1 1HE
UK

Realisatie: TextCase Boekproducties, Groningen
Vertaling: Jolanda te Lindert
Redactie: Jos Noorman
Opmaak: Niels Kristensen

Printed in China

ISBN 978-1-4054-9793-0

Opmerking

Alle lepeleenheden werken als volgt: theelepels bevatten 5 ml en eetlepels 15 ml.
Tenzij anders wordt aangegeven wordt volle melk gebruikt, zijn eieren, groenten en aardappels van gemiddelde grootte en is peper versgemalen.

Recepten met rauwe of licht gekookte eieren zijn niet geschikt voor kleine kinderen en ouderen, zwangere vrouwen en mensen met gezondheidsklachten.

Inhoud

Voorwoord

Een van de snelste, makkelijkste en veelzijdigste bereidingswijzen is roerbakken in een wok. Het kiezen van de ingrediënten kost weinig tijd: een keur aan groenten, maar ook vlees, vis, schaaldieren, tofu, noten, rijst of pasta zijn geschikt. En door te variëren met oliën, kruiden en sauzen zijn

de mogelijkheden eindeloos en is het resultaat altijd een kleurrijke, lekkere en gezonde maaltijd.

Hoewel de wok ook voor stomen en frituren kan worden gebruikt, is hij voor roerbakken bedoeld. U roerbakt door de ingrediënten te scheppen en te keren met lange bamboestokjes, een woklepel of een spatel.

Sommige ingrediënten vergen meer tijd dan andere en daarom moet roerbakken vaak in fasen worden gedaan. Hierdoor behouden alle ingrediënten hun eigen smaak. Is een deel van het gerecht klaar, dan verwijdert u het uit de wok. Uiteindelijk wordt alles weer gemengd en als een volledige maaltijd opgediend.

Roerbakken biedt door de keuze aan ingrediënten veel mogelijkheden voor creativiteit, zelfs bij een heel eenvoudige uitvoering. Een combinatie van uien, wortels, paprika's (groene, rode, gele en oranje), broccoli en peultjes geeft al een basis voor een kleurig gerecht. Als u er aan het eind van de bereiding wat taugé of een paar waterkastanjes uit blik door roert, maakt u het gerecht voller en krokanter. Een handvol cashewnoten of amandelen, een paar blokjes tofu of kipfilet, of wat garnalen zorgen voor de proteïne, terwijl wat gekookte rijst of pasta een roerbakmaaltijd extra aantrekkelijk maken. Een kant-en-klare saus — bijvoorbeeld oester- of gelebonensaus — maakt de maaltijd helemaal af. Gember, knoflook en chilipepertjes zijn heerlijke kruiden om mee te roerbakken.

Chilipepertjes zijn er van mild tot heel erg heet. In Thailand kruidt men curry's vaak met de erg sterke kleine rode of groene 'pili-pili'-pepertjes. Gedroogde pepertjes zijn heel handig voor de kruiderij. Door de zaadjes en de schil te verwijderen wordt de sterkte iets getemperd. Snijd verse pepertjes doormidden en schraap de zaadjes er met een mes uit. Snijd bij droge pepertjes de top eraf en schud de zaadjes eruit. Was altijd uw handen nadat u pepertjes hebt bereid!

Basisrecepten

Verse kippenbouillon

VOOR 1,7 LITER

1 kg kip, zonder vel

2 stengels bleekselderij

1 ui

2 wortels

1 teentje knoflook

enkele takjes peterselie

2 liter water

zout en peper

1 Doe alle ingrediënten in een grote steelpan.

2 Breng dit mengsel aan de kook. Schuim het goed af met een grote, platte lepel. Temper het vuur en laat de bouillon, met het deksel half op de pan, 2 uur zachtjes koken. Laat daarna de bouillon afkoelen.

3 Zeef de bouillon boven een grote pan of kom door een met een schoon stuk kaasdoek beklede zeef. De gekookte kip kunt u in een ander recept gebruiken. Gooi de restanten weg. Zet de bouillon afgesloten in de koelkast.

4 Schep voor gebruik het vet van de bouillon. De bouillon is in de koelkast 3-4 dagen houdbaar of kan in kleine porties worden ingevroren.

Verse visbouillon

VOOR 1,7 LITER

1 viskop (van bijv. kabeljauw of zalm) plus de afval (vel, graten) of alleen de afval

1-2 uien, gesnipperd

1 wortel, gesneden

1-2 stengels bleekselderij, gesneden

flinke lepel citroensap

1 bouquet garni of 2 verse of gedroogde laurierblaadjes

1 Was de viskop en de afval en doe alles in een pan met water. Breng dit aan de kook.

2 Schuim het vocht goed af met een grote, platte lepel en voeg dan de overige ingrediënten toe. Doe het deksel op de pan en laat het geheel ongeveer 30 minuten pruttelen.

3 Giet af en laat de bouillon afkoelen. Zet de bouillon in de koelkast en gebruik hem binnen 2 dagen.

Maïzenapasta

Maïzenapasta maakt u door 1 deel maïzena te mengen met 1,5 deel koud water. Roer dit mengsel glad. Met maïzenapasta kunt u sauzen dikker maken.

Verse groentebouillon

Deze bouillon is in de koelkast drie dagen en in de vriezer drie maanden houdbaar. Bij de bereiding wordt geen zout gebruikt: u kunt het zout aanpassen aan het gerecht waarvoor u de bouillon gebruikt.

VOOR 1,5 LITER

250 g sjalotjes

1 grote wortel, gesneden

1 stengel bleekselderij

1/2 venkelknol

1 teentje knoflook

1 laurierblaadje

enkele takjes verse peterselie en dragon

2 liter water

peper

1 Breng alle ingrediënten in een grote pan aan de kook.

2 Schuim het vocht goed af met een grote, platte lepel. Temper het vuur en laat de bouillon, met het deksel half erop, 45 minuten pruttelen. Laat het daarna afkoelen.

3 Zeef de bouillon boven een grote pan of kom door een met een schoon stuk kaasdoek beklede zeef. Verwijder de kruiden en groenten.

4 De bouillon is afgesloten in de koelkast ten minste 3 dagen houdbaar of kan in kleine porties worden ingevroren.

Verse kokosmelk

Leg hiervoor 250 g versgeraspt kokos in een kom en giet er ongeveer 6 dl kokend water overheen. Laat het kokos 1 uur weken. Giet alles door een kaasdoek en pers het vocht er stevig door om een zo 'dik' mogelijke melk te krijgen. Wilt u de melk wat romiger, laat het kokos dan langer weken en schuim de 'room' voor gebruik eraf. Neem voor ongezoet, gedroogd kokos dezelfde hoeveelheden.

Soepen en voorgerechten

Soep is in Azië, met name in China, Japan, Korea en Zuidoost-Azië, niet van het menu weg te denken. Vaak eet men soep halverwege de hoofdmaaltijd om de smaakpapillen te neutraliseren voor de verdere gerechten. Er zijn verschillende heerlijke soepen, zowel stevige als magere, en natuurlijk de heldere soepjes die vaak met wontons of meelballetjes erin worden geserveerd.

Voorgerechten of snacks zijn meestal minder vochtig; de loempia is een bekende Chinese snack die in vele vormen en variaties in het gehele Verre Oosten voorkomt. Andere lekkernijen zijn verpakt in deeg, brood of rijstpapier, of voor het gemak aan pennen geregen; groenten, vis en vlees worden ook gefrituurd voor een knapperig korstje. Deze gerechten worden in westers georiënteerde restaurants opgediend als appetizers voor de hoofdmaaltijd.

kruidige thaise vissoep

voor 4 personen

2 el tamarindepasta

4 verse rode chilipepertjes, zonder
zaadjes en fijngehakt

2 teentjes knoflook, uitgeperst

2 tl verse gemberwortel, fijngehakt

4 el Thaise vissaus

2 el palm- of poedersuiker

1,2 liter visbouillon

8 djeroek poeroetblaadjes

100 g wortels, fijngesneden

350 g zoete aardappels, gesneden

100 g babymaïskolfjes

3 el verse koriander, fijngehakt

100 g kerstomaatjes, gehalveerd

225 g rivierkreeften

1 Doe tamarindepasta, pepertjes, knoflook, gember, vissaus, suiker en visbouillon in een voorverwarmde wok of grote koekenpan. Doe de djeroek poeroetblaadjes in grove stukjes in de wok. Breng alles aan de kook onder voortdurend roeren.

2 Temper het vuur en voeg de wortels, de zoete aardappels en de maïs toe.

3 Laat de soep zonder deksel ongeveer 10 minuten pruttelen tot de groente beetgaar is.

4 Roer de koriander, de kerstomaatjes en de rivierkreeften erdoor en warm de soep 5 minuten goed door.

5 Schep de soep in een voorverwarmde soepterrine of in aparte kommen en dien hem heet op.

TIP VAN DE KOK

Thaise gember of galanga is verwant aan gember, maar is geel van kleur met roze loten. De smaak is minder sterk dan gember.

thaise schaaldierensoep

voor 4 personen

1,2 liter visbouillon

1 stengel citroengras, in de lengte
   doorgesneden

geraspte schil van $\frac{1}{2}$ limoen of
   1 djeroek poeroetblaadje

2,5 cm verse gemberwortel,
   gesneden

$\frac{1}{4}$ tl chilipuree

4-6 lente-uitjes

200 g (middel)grote rauwe garnalen, gepeld en schoongemaakt

250 g st.-jakobsschelpen (16-20)

2 el verse koriander

zout

fijngehakte rode paprika of verse
   chilipepertjes, ter garnering

VARIATIE

Vervang de lente-uitjes door
kleine preitjes, versnipperd of
heel dun gesneden. Gebruik
ook de groene delen.

1 Doe de bouillon met citroengras,
limoenschil of djeroek poeroet,
gember en chilipuree in een wok of
pan. Breng alles net aan de kook en
temper dan het vuur. Laat de soep
afgedekt 10-15 minuten pruttelen.

2 Snijd de uitjes in de lengte doormidden en dan diagonaal in heel
dunne plakjes. Snijd de garnalen, op
de staart na, in de lengte doormidden.

3 Giet de bouillon af en terug in de
wok of pan. Breng de bouillon
weer net aan de kook, voeg de uitjes
toe en kook ze 2-3 minuten mee.
Breng de soep zo nodig op smaak met
zout en chilipuree.

4 Voeg de st.-jakobsschelpen en de
garnalen toe en pocheer ze
ongeveer 1 minuut tot ze ondoorzichtig zijn en de garnalen opkrullen.

5 Voeg de korianderblaadjes toe en
schep de soep in voorverwarmde
kommen en garneer het met fijngehakte rode paprika of chilipepertjes.

maïssoep met krab

voor 4 personen

1 el zonnebloemolie

1 tl Chinees vijfkruidenpoeder

225 g wortels, in reepjes gesneden

150 g maïs uit blik, uitgelekt of
   diepvries

75 g doperwten

6 lente-uitjes, gesneden

1 vers rood chilipepertje, zonder
   zaadjes en fijngesneden

400 g krab uit blik, uitgelekt

175 g eiernoedels

1,7 liter visbouillon

3 el lichte sojasaus

1 Verhit de olie in een grote,
voorverwarmde wok of zware
koekenpan.

2 Fruit hierin ongeveer 5 minuten
het Chinese vijfkruidenpoeder, de
wortels, de maïs, de uitjes en de
chilipeper onder voortdurend roeren.

3 Verdeel de krab gelijkmatig over
het mengsel in de wok en roerbak
alles ongeveer 1 minuut op een matig
vuur.

4 Breek de eiernoedels in grove
stukken en doe ze in de wok.

5 Giet de visbouillon en sojasaus
erbij en breng alles aan de kook.

6 Doe een deksel op de pan en laat
de soep 5 minuten pruttelen.

7 Roer nog eens goed door en
schep de soep dan in een
voorverwarmde soepterrine of in
aparte kommen en serveer meteen.

krabsoep met kokos

voor 4 personen

1 el arachideolie

2 el Thaise rode currypasta

1 rode paprika, zonder zaadjes en
   gesneden

6 dl kokosmelk

6 dl visbouillon

2 el Thaise vissaus

225 g krab, uit blik (uitgelekt) of vers

225 g krabbenscharen, vers of
   ontdooid uit de diepvries

2 el verse koriander, gehakt

3 lente-uitjes, gesneden

TIP VAN DE KOK

Reinig de wok na gebruik met
water, zo nodig met een mild
afwasmiddel en een zachte doek
of borstel. Gebruik geen schuur-
spons of agressief schoonmaak-
middel, die kunnen de baklaag
beschadigen. Droog de pan goed
af en vet hem dan in met wat
olie ter bescherming.

1 Verhit de olie in een grote, voorverwarmde wok.

2 Roerbak hierin gedurende 1 minuut de currypasta en de gesneden rode paprika.

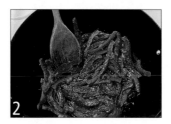

3 Voeg de kokosmelk, visbouillon en vissaus toe en breng het geheel aan de kook.

4 Doe vervolgens het krabvlees, de krabbenscharen, de koriander en de uitjes in de wok.

5 Meng alles goed door elkaar en warm de soep 2-3 minuten goed door.

6 Schep de soep in voorverwarmde kommen en serveer hem heet.

14

pikante vissoep

voor 4 personen

15 g Chinese gedroogde
   paddestoelen

2 el zonnebloemolie

1 ui, gesneden

100 g peultjes

100 g bamboespruiten

3 el zoete chilisaus

1,2 liter vis- of groentebouillon

3 el lichte sojasaus

2 el verse koriander, gehakt plus
   wat extra ter garnering

450 g kabeljauwfilet, zonder vel en
   in stukjes

TIP VAN DE KOK

Van de vele soorten gedroogde
paddestoelen zijn shii-take de
beste. Ze zijn vrij duur, maar u
hoeft er slechts een kleine
hoeveelheid van te gebruiken.

1 Doe de paddestoelen in een grote
   kom en giet er zoveel kokend
water over dat ze onderstaan. Laat ze
5 minuten weken. Laat ze uitlekken in
een vergiet en hak ze daarna met een
scherp mes in stukjes.

2 Verhit de olie in een voorverwarmde wok of grote koekenpan
en fruit hierin de uitjes op matig vuur
in 5 minuten glazig.

3 Voeg peultjes, bamboespruiten,
   chilisaus, bouillon en sojasaus toe
en breng het geheel aan de kook.

4 Laat de koriander en kabeljauw
   5 minuten mee sudderen tot de
vis gaar is.

5 Schep de soep in voorverwarmde
   kommen en garneer hem
desgewenst met extra koriander. Dien
de soep heet op.

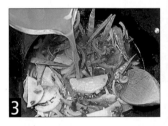

zoetzure paddestoelensoep

voor 4 personen

2 el tamarindepasta

4 verse rode chilipepertjes, zonder
zaadjes en fijngesneden

2 teentjes knoflook, uitgeperst

2 tl verse gemberwortel, fijngehakt

4 el Thaise vissaus

2 el palm- of poedersuiker

8 djeroek poeroetblaadjes,
grof gesneden

1,2 liter groentebouillon

100 g wortels, fijngesneden

225 g champignons, gehalveerd

350 g witte kool, gesneden

100 g haricots verts, gehalveerd

3 el verse koriander, grof gehakt

100 g kerstomaatjes, gehalveerd

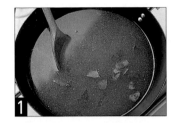

2 Temper het vuur en voeg wortels, champignons, witte kool en haricots verts toe. Laat de soep zonder deksel 10 minuten pruttelen tot de groenten gaar zijn, maar niet zacht.

3 Voeg de verse koriander en kerstomaatjes toe en laat alles nog 5 minuten koken.

4 Schep de soep in een voorverwarmde soepterrine of aparte kommen en serveer de maaltijd meteen.

TIP VAN DE KOK

Tamarinde is de gedroogde vrucht van de tamarindeboom. In de vorm van pulp of pasta geeft het een speciale zoetzure smaak aan oosterse gerechten.

1 Breng tamarindepasta, pepertjes, knoflook, gember, vissaus, suiker, djeroek poeroet en groentebouillon in een grote, voorverwarmde wok of zware koekenpan al roerend aan de kook.

kruidige noedelsoep met kip

voor 4 personen

2 el tamarindepasta

4 verse rode chilipepertjes, zonder
   zaadjes en fijngehakt

2 teentjes knoflook, uitgeperst

2 tl verse gemberwortel, fijngehakt

4 el Thaise vissaus

2 el palm- of poedersuiker

8 djeroek poeroetblaadjes,
   grof gesneden

1,2 liter kippenbouillon

350 g kippenborst, zonder vel en
   botjes

100 g wortels, fijngesneden

350 g zoete aardappels, in plakjes

100 g babymaïskolfjes, gehalveerd

3 el verse koriander, grof gehakt en
   wat extra ter garnering

100 g kerstomaatjes, gehalveerd

150 g brede rijstnoedels

gemalen zwarte peper, ter garnering

1 Breng tamarinde, pepertjes, knoflook, gember, vissaus, suiker, djeroek poeroet en kippenbouillon al roerend in een grote, voorverwarmde wok of koekenpan aan de kook. Temper dan het vuur en laat alles ongeveer 5 minuten pruttelen.

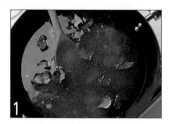

2 Snijd met een scherp mes de kip in dunne plakjes. Doe de kip in de wok en laat het mengsel onder voort-durend roeren 5 minuten verder koken.

3 Draai het vuur lager en voeg dan de wortels, de aardappels en de babymaïskolfjes toe. Laat het geheel zonder deksel nog 5 minuten pruttelen tot de groenten beetgaar zijn en de kip helemaal gaar is.

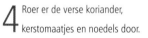

4 Roer er de verse koriander, kerstomaatjes en noedels door.

5 Laat de soep ongeveer 5 minuten pruttelen tot de noedels gaar zijn.

6 Garneer deze kruidige noedelsoep met gehakte koriander en peper. Serveer hem heet.

aubergineomelet met paddestoelen

voor 4 personen

3 el plantaardige olie

1 teentje knoflook, fijngehakt

1 uitje, fijngehakt

1 kleine aubergine, gesneden

$\frac{1}{2}$ groene paprika, zonder zaadjes
en fijngehakt

1 tomaat, in stukjes

1 grote, gedroogde Chinese zwarte
paddestoel, geweekt, uitgelekt
en in stukjes

1 el lichte sojasaus

$\frac{1}{2}$ tl suiker

$\frac{1}{4}$ tl gemalen zwarte peper

2 grote eieren

blaadjes sla, plakjes tomaten en
reepjes komkommer, ter garnering

1 Verhit de helft van de olie in een
wok en fruit hierin 30 seconden
het knoflook. Voeg de ui en aubergine
toe en roerbak alles goudbruin.

TIP VAN DE KOK

Als u de pan goed verhit voordat
u de olie toevoegt, en de olie
goed verhit voordat u de
ingrediënten toevoegt, zullen de
groenten niet aan de pan kleven.

2 Roerbak de groene paprika een
minuutje mee. Roer er dan de
tomaat, paddestoel, sojasaus, suiker en
peper door. Schep alles uit de pan en
houd het warm.

3 Klop de eieren los. Verhit de
resterende olie en verspreid de
olie gelijkmatig over de bodem van de
pan. Giet de eieren erin en laat ze
stollen door de pan te draaien. Schep
de vulling in het midden van de omelet.
Maak de omelet mooi vierkant door de
zijkanten naar binnen te vouwen.

4 Laat de omelet voorzichtig op een
warm bord glijden en garneer
hem met sla, tomaat en komkommer.
Dien de omelet heet op.

kruidige thaise maïsbeignets

voor 4 personen

225 g maïs uit blik, uitgelekt

2 verse rode chilipepertjes, zonder
   zaadjes en fijngehakt

2 teentjes knoflook, uitgeperst

10 djeroek poeroetblaadjes,
   fijngehakt

2 el verse koriander, gehakt

1 groot ei

75 g polenta

100 g haricots verts, fijngesneden

arachideolie, om te frituren

TIP VAN DE KOK

Djeroek poeroetblaadjes zijn
donkergroene, glimmende
blaadjes die een citrusachtig
aroma hebben. Ze zijn vers of
gedroogd verkrijgbaar in toko's.

1 Roer maïs, pepertjes, koriander, ei
en polenta in een grote mengkom
door elkaar.

2 Roer er vervolgens de groene
boontjes met een houten lepel
goed doorheen.

3 Verdeel het mengsel in kleine,
gelijke hoopjes. Kneed hiervan
met uw handen ronde balletjes.

4 Maak een scheut olie in een
voorverwarmde wok of koekenpan goed heet en frituur hierin de
beignets, niet meer dan een paar
tegelijk, bruin en krokant. Keer ze
regelmatig.

5 Laat de beignets uitlekken op
keukenpapier.

6 Leg de uitgelekte beignets met
een schuimspaan op de voorverwarmde borden en serveer ze direct.

groenteloempia's

voor 4 personen

225 g wortels

1 rode paprika

1 el zonnebloemolie, plus extra om
   te frituren

75 g taugé

sap en geraspte schil van 1 limoen

1 vers rood chilipepertje, zonder
   zaadjes en fijngehakt

1 el lichte sojasaus

½ tl arrowroot

2 el verse koriander, gehakt

8 vellen filodeeg

2 el boter

2 tl sesamolie

OM TE SERVEREN

bloemen van lente-uitjes

chilisaus

1 Snijd de wortels in luciferdunne reepjes. Ontdoe de paprika van zaadjes en snijd hem in dunne sliertjes.

2 Verhit de olie in een grote, voorverwarmde wok.

3 Roerbak hierin de wortels, paprika en taugé 2 minuten tot ze zacht zijn. Haal de wok van het vuur en schep het sap en de schil van de limoen en het rode pepertje erdoor.

4 Meng de sojasaus met de arrowroot tot een gladde pasta. Doe dit mengsel ook in de wok, zet deze weer op het vuur en kook alles 2 minuten tot het vocht is ingedikt.

5 Voeg de gehakte koriander toe, roer het mengsel goed door en zet dan het vuur uit.

6 Rol de vellen filodeeg uit op een plank. Smelt de boter met de sesamolie en vet hiermee elk vel in.

7 Schep op elk vel wat groentevulling en rol het dan op.

8 Verhit een beetje olie in de wok en frituur hierin in 2-3 minuten de loempia's, niet meer dan een paar tegelijk, tot ze krokant en goudbruin zijn.

9 Leg de loempia's op een bord en garneer ze met uienbloemen en serveer ze warm met de chilisaus.

kruidige kippenlevers met paksoi

voor 4 personen

350 g kippenlevers

2 el zonnebloemolie

1 vers rood chilipepertje, zonder
zaadjes en gehakt

1 tl verse gemberwortel, geraspt

2 teentjes knoflook, uitgeperst

2 tl tomatenketchup

3 el droge sherry

3 el lichte sojasaus

1 tl maïzena

450 g paksoi

eiernoedels

1 Haal met een scherp mesje het vet van de levers en snijd ze in kleine stukjes.

2 Verhit de olie in een voorverwarmde wok en roerbak hierin de kippenlevers 2-3 minuten.

3 Roerbak een minuutje het pepertje, het knoflook en de gember mee.

4 Meng de tomatenketchup, sherry, sojasaus en maïzena in een kleine kom door elkaar. Zet dit even apart.

5 Roerbak de paksoi in de wok tot de groente slinkt.

6 Voeg het tomatenmengsel erbij en laat het al roerend koken tot het vocht begint te borrelen.

7 Schep alles in kommen en serveer het warm met de eiernoedels.

knapperig zeewier

voor 4 personen

1 kg paksoi

850 ml arachideolie, om te frituren

1 tl zout

1 el poedersuiker

2,5 el pijnboompitten, geroosterd

1 Spoel de paksoi af met koud water en dep de groente daarna goed droog met keukenpapier.

2 Gooi de buitenste harde bladeren weg. Rol elk blad afzonderlijk op en snijd ze dan in dunne sliertjes of maal ze in de keukenmachine fijn.

3 Verhit de olie in een grote wok of zware koekenpan.

4 Bak de versnipperde paksoi voorzichtig 30 seconden in de wok tot ze opkrullen en knapperig worden (afhankelijk van de maat van uw wok zult u dit in gedeelten moeten doen).

5 Schep het knapperige 'zeewier' met een schuimspaan uit de wok en laat het uitlekken op keukenpapier.

6 Doe het knapperige zeewier in een grote kom en schep het met zout, suiker en pijnboompitten door elkaar. Serveer het direct op voorverwarmde borden.

25

kipballetjes met dipsaus

voor 4 personen

2 grote kippenborsten, zonder vel
en botjes

3 el plantaardige olie

2 sjalotjes, fijngehakt

1/2 stengel bleekselderij, fijngehakt

1 teentje knoflook, uitgeperst

2 el lichte sojasaus

1 klein ei, licht geklopt

1 bosje lente-uitjes

zout en peper

uienbloemen, ter garnering

DIPSAUS

3 el donkere sojasaus

1 el rijstwijn

1 tl sesamzaadjes

2 Doe de sjalotjes, de selderij en het knoflook in de wok en roerbak alles in 1-2 minuten zacht.

3 Maal de kip, de sjalotjes en het knoflook in een keukenmachine fijn. Voeg 1 eetlepel lichte sojasaus toe en voldoende ei om een redelijk stevig mengsel te maken. Breng het op smaak met zout en peper.

1 Snijd de kip in stukken van 2 centimeter. Verhit de helft van de olie in een voorverwarmde wok of koekenpan en roerbak hierin de kip in ongeveer 2-3 minuten op hoog vuur goudbruin. Schep de kip met een schuimspaan uit de wok.

4 Maak de lente-uitjes schoon en snijd ze in stukken van 5 centimeter. Maak de dipsaus door de donkere sojasaus, de rijstwijn en de sesamzaadjes in een kleine kom te mengen.

5 Vorm van het kipmengsel 16-18 balletjes, zo groot als walnoten. Verhit de resterende olie in een wok en roerbak ze hierin, in kleine porties, in 4-5 minuten goudbruin. Laat ze uitlekken op keukenpapier en houd ze warm.

6 Doe de lente-uitjes in de wok en roerbak ze in 1-2 minuten glazig. Roer er dan de resterende lichte sojasaus door. Serveer ze met de kipballetjes en het kommetje dipsaus op een schaal, gegarneerd met de uienbloemen.

visloempia's

voor 4 personen

1 el zonnebloemolie

1 rode paprika, zonder zaadjes en
   fijngesneden

75 g taugé

sap en geraspte schil van 1 limoen

1 vers rood chilipepertje, zonder
   zaadjes en fijngehakt

1 tl verse gemberwortel, geraspt

225 g rauwe garnalen, gepeld

1 el Thaise vissaus

½ tl arrowroot

2 el verse koriander, gehakt

8 vellen filodeeg

2 el boter

2 tl sesamolie

frituurolie

bloemen van lente-uitjes

chilisaus

1 Verhit de zonnebloemolie in een grote, voorverwarmde wok en roerbak hierin in 2 minuten op een matig vuur de rode paprika en taugé zacht.

2 Haal de wok van het vuur en schep er de limoenschil, het limoensap, de rode peper, de gember en de garnalen door.

3 Vermeng de vissaus met de arrowroot en doe dit mengsel ook in de wok. Zet de wok weer op het vuur en roerbak alles 2 minuten tot het vocht indikt. Meng er dan de koriander door.

4 Rol de vellen filodeeg uit op een plank. Smelt de boter met de sesamolie en vet elk vel hiermee in.

5 Leg op elk vel een beetje garnalenvulling, vouw de zijkanten naar binnen en rol ze op.

6 Verhit de frituurolie in een grote wok en frituur de loempia's, in porties, in 2-3 minuten krokant en goudbruin. Garneer ze met uienbloemen en serveer ze warm met een chilisaus.

28

pikante garnalenloempia's

voor 4 personen

450 g steurgarnalen, gepeld maar
met staart

3 el pindakaas met stukjes

1 el chilisaus

10 vellen filodeeg

2 el gesmolten boter

50 g fijne eiernoedels

frituurolie

1 Snijd de garnalen met een scherp mes aan de rugzijde horizontaal in. Druk er dan even op, zodat de garnalen plat blijven liggen.

2 Meng pindakaas en chilisaus in een kleine kom goed door elkaar. Smeer elke garnaal hiermee rondom goed in.

3 Halveer elk vel filodeeg en vet het in met gesmolten boter.

4 Wikkel elke garnaal in een stukje filodeeg. Sla de randen naar binnen, zodat het goed dicht zit.

5 Doe de eiernoedels in een kom en giet er kokend water over. Laat dit zo staan of volg de aanwijzingen op het pak. Giet de noedels goed af. Bind elke garnalenpakketje vast met 2-3 gekookte noedelsslierten.

6 Verhit de olie in een voorverwarmde wok. Frituur hierin, zo nodig in gedeelten, de garnalen in 3-4 minuten goudbruin en krokant.

7 Schep de garnalen met een schuimspaan uit de wok op keukenpapier en laat ze uitlekken. Leg ze op de borden en serveer ze warm.

thaise viskoekjes

voor 4 personen

450 g kabeljauwfilet, zonder vel

2 el Thaise vissaus

2 verse rode Thaise pepertjes,
   zonder zaadjes en fijngehakt, en
   wat extra ter garnering

2 teentjes knoflook, uitgeperst

10 djeroek poeroetblaadjes,
   fijngehakt

2 el verse koriander, gehakt

1 groot ei

25 g bloem

100 g haricots verts, fijngesneden

arachideolie, om te frituren

TIP VAN DE KOK

Thaise vissaus is een zoute,
bruine vloeistof en bepalend
voor een authentieke smaak. Het
wordt gebruikt om gerechten te
zouten, maar is milder dan
sojasaus. De saus is verkrijgbaar
in toko's of natuurwinkels.

1 Snijd de kabeljauw met een scherp mes in hanteerbare brokken.

2 Maal de kabeljauw met de vissaus, de pepertjes, het knoflook, de djeroek poeroetblaadjes, de koriander, het ei en de bloem in een keukenmachine fijn en doe dan alles in een grote mengkom.

3 Meng de boontjes door het kabeljauwmengsel.

4 Verdeel het mengsel in kleine hoopjes en vorm er met de handen ronde, platte schijfjes van.

5 Verhit wat olie in een voorverwarmde wok en bak hierin de viskoekjes aan beide kanten bruin en krokant.

6 Leg de viskoekjes op de borden en serveer ze warm met verse, hele rode pepertjes.

garnalenomelet

voor 4 personen

3 el zonnebloemolie

2 preitjes, schoongemaakt en
   gesneden

350 g rauwe scampi's, gepeld

4 el maïzena

1 tl zout

175 g paddestoelen, gesneden

175 g taugé

6 eieren

gefrituurde prei, ter garnering
   (naar keuze)

5 Roerbak de scampi's 2 minuten in
   de wok tot de scampi's bijna gaar
zijn.

6 Roerbak de paddestoelen en de
   taugé 2 minuten mee.

7 Klop de eieren los met 3 eetlepels
   koud water. Schenk het eimengsel
in de wok en bak de omelet aan beide
kanten. Laat de omelet op een schone
plank glijden en verdeel hem in 4
porties. Serveer deze direct en garneer
ze eventueel met de gefrituurde prei.

1 Verhit de zonnebloemolie in een
   voorverwarmde wok of grote
koekenpan. Roerbak hierin in 3 minuten de gesneden prei.

2 Spoel de scampi's met koud
   water en dep ze droog met
keukenpapier.

3 Meng maïzena en zout in een
   grote kom door elkaar.

4 Schep de scampi's rondom door
   het maïzenamengsel.

garnalentoast met sesamzaad

voor 4 personen

225 g gekookte garnalen, gepeld

1 lente-uitje

¼ tl zout

1 tl lichte soja

1 el maïzena

1 eiwit, geklopt

3 dunne sneetjes witbrood zonder
korst

4 el sesamzaadjes

plantaardige frituurolie

TIP VAN DE KOK

Frituur de driehoekjes in porties
van twee – houd de eerste
porties wel warm – zodat ze niet
aan elkaar kunnen kleven en
doorgaren.

1 Maal de garnalen en het lente-
uitje heel fijn in een keukenmachine. Doe alles over in een kom en roer
er zout, soja, maïzena en eiwit door.

2 Besmeer alle sneden brood aan
één kant met dit mengsel en druk
er de sesamzaadjes stevig op.

3 Snijd elke snee in vier gelijke
repen of driehoekjes.

4 Verhit de frituurolie in een wok tot
het bijna begint te walmen.
Frituur dan de driehoekjes met de
besmeerde kant naar beneden in 2-3
minuten goudbruin in de hete olie.
Schep ze er met een schuimspaan uit
en laat ze uitlekken op keukenpapier.
Serveer ze warm.

scampi's met peper en zout

voor 4 personen

2 tl zout

1 tl zwarte peper

2 tl Sichuan-peper

1 tl suiker

450 g rauwe scampi's, gepeld

2 el arachideolie

1 vers rood chilipepertje, zonder
 zaadjes en fijngehakt

1 tl verse gemberwortel, geraspt

3 teentjes knoflook, uitgeperst

lente-uitjes, gesneden, ter garnering

kroepoek, op tafel

TIP VAN DE KOK

Scampi's zijn overal verkrijgbaar
en hebben een stevige substan-
tie. Koopt u gekookte exempla-
ren, voeg ze dan pas in stap 5
toe aan het zout-pepermengsel.
Als u ze eerder toevoegt, worden
ze taai en niet lekker.

1 Stamp het zout, de zwarte peper
en de Sichuan-peper in een vijzel
fijn.

2 Vermeng dit mengsel vervolgens
met de suiker en zet het weg.

3 Spoel de scampi's af met koud
water en dep ze droog met
keukenpapier.

4 Verhit de olie in een voorverwarmde wok of grote koekenpan.

5 Roerbak hierin de scampi's,
gehakte rode chilipeper, gember
en knoflook 4-5 minuten tot de
garnalen gaar zijn.

6 Doe het zout-pepermengsel in de
wok en roerbak dit 1 minuut mee.
Blijf roeren, zodat het niet aanbakt.

7 Schep de scampi's over in
voorverwarmde kommen en
garneer met lente-uitjes. Serveer direct
met kroepoek.

vegetarische loempia's

voor 4 personen

25 g dunne cellofaannoedels
   (glasnoedels of transparante mie)
2 el arachideolie
2 teentjes knoflook
$\frac{1}{2}$ tl verse gemberwortel, geraspt
55 g oesterzwammen, fijngesneden
2 lente-uitjes, fijngehakt
50 g taugé
1 kleine wortel, fijngesneden
$\frac{1}{2}$ tl sesamolie
1 el lichte sojasaus
1 el Chinese rijstwijn of droge sherry
$\frac{1}{4}$ tl peper
1 el verse koriander, gehakt
1 el verse munt, gehakt
24 loempiavelletjes
$\frac{1}{2}$ tl maïzena
arachideolie, om te frituren
blaadjes verse munt, ter garnering
dipsaus

1 Doe de noedels in een schaal en giet er zoveel kokend water over dat ze onderstaan. Giet ze na 4 minuten af, spoel ze met koud water en laat ze uitlekken. Snijd of knip de noedels in stukken van 5 centimeter lengte.

2 Verhit de arachideolie in een voorverwarmde wok of grote pan op hoog vuur. Roerbak hierin knoflook, gember, oesterzwammen, uitjes, taugé en wortel in ongeveer 1 minuut net zacht.

3 Roer er de sesamolie, soja, rijstwijn of sherry, peper, gehakte koriander en munt door. Haal de pan dan van het vuur en roer er de noedels door.

4 Leg de loempiavellen diagonaal voor u. Meng de maïzena met 1 eetlepel water tot een gladde pasta en smeer hiermee de randen van een vel in. Schep wat vulling in de hoek van hetzelfde vel.

5 Rol de punt van het vel over de vulling heen en vouw dan de zijkanten naar binnen. Rol het loempiavel op, van u af, en plak het laatste stukje met nog wat maïzenamengsel stevig dicht.

6 Verhit de olie in een wok of frituurpan tot 190 °C. Frituur hierin de loempia's, niet meer dan een paar tegelijk, in 2-3 minuten goudbruin en krokant. Laat ze uitlekken op keukenpapier en houd ze warm. Garneer ze met takjes munt en serveer ze warm met de dipsaus.

aubergines met zevenkruidenpeper

voor 4 personen

450 g aubergines

1 eiwit

3,5 el maïzena

1 el zevenkruidenpeper

frituurolie

zout

TIP VAN DE KOK

De beste frituurolie is arachideolie: die verdraagt hoge hitte en heeft een milde smaak. Ongeveer 6 deciliter olie is voldoende.

---

1 Snijd de aubergines met een scherp mes in dunne plakjes. Leg de plakjes in een vergiet en bestrooi ze met zout. Laat dit 30 minuten inwerken, zodat al het bittere vocht verdwijnt.

2 Spoel de plakjes aubergine af en dep ze droog met keukenpapier.

3 Klop het eiwit in een kleine kom met een vork los en schuimig.

4 Vermeng op een bord maïzena met een theelepel zout en zevenkruidenpeper.

5 Verhit de olie in een grote, voorverwarmde wok of zware koekenpan.

6 Doop de aubergines eerst rondom in het eiwit en daarna door het maïzenamengsel.

7 Frituur de plakjes aubergine, in gedeelten, 5 minuten tot ze goudgeel en krokant zijn.

8 Laat de plakjes aubergine op keukenpapier uitlekken. Leg ze op de borden en dien ze heet op.

Gevogelte en vlees

Doordat vlees in het Verre Oosten een duur
ingrediënt is, wordt het daar minder gegeten
dan in het Westen. Maar als men dan vlees eet,
doet men het ook goed door het te marineren, te kruiden en te vermengen met
andere heerlijke smaken in tal van verleidelijke gerechten.

Maleisië kent een grote verscheidenheid aan kruidige vleesgerechten die
een weerslag zijn van de vele etnische achtergronden van de bevolking. In
China worden gevogelte, lams-, rund- en varkensvlees geroerbakt of ge-
stoomd in de wok en vermengd met sausen en kruiden, zoals soja-, zwarte-
bonen- en oestersaus. In Japan marineert men het vlees meestal en roerbakt
het dan snel in een wok op zeer hoog vuur of men stooft het in misosoep. Het
vlees in Thaise gerechten is magerder en smaakvoller, omdat de dieren op de
meeste veehouderijen mogen 'scharrelen'.

kipcurry met kokos

voor 4 personen

2 el zonnebloemolie

450 g kippenpoten of -borsten,
   zonder vel en botjes

150 g okra

1 grote ui, gesneden

2 teentjes knoflook, uitgeperst

3 el milde currypasta

3 dl kippenbouillon

1 el vers citroensap

100 g kokos, grof geraspt

175 g ananas, vers of uit blik, in
   stukjes

150 ml dikke yoghurt

2 el verse koriander, gehakt

gekookte rijst

TER GARNERING

schijfjes citroen

takjes verse koriander

1 Verhit de olie in een wok. Snijd de kip in hanteerbare brokken en roerbak ze in de wok rondom bruin.

2 Snijd met een scherp mes de steeltjes van de okra. Doe de ui, het knoflook en de okra in de wok en roerbak alles 2-3 minuten.

3 Doe de currypasta met de kippenbouillon en het citroensap in de wok. Breng het mengsel aan de kook en laat het 30 minuten pruttelen.

4 Roer het geraspte kokos door de curry en laat het nog 5 minuten pruttelen.

5 Laat de ananas, de yoghurt en de koriander al roerend 2 minuten meekoken. Serveer het gerecht op voorverwarmde borden met gekookte rijst en de garnering.

kip met gember

voor 4 personen

2 el zonnebloemolie

1 ui, gesneden

175 g wortels, in luciferdunne
    reepjes gesneden

1 teentje knoflook, uitgeperst

350 g kippenborst, zonder vel en
    botjes

2 el verse gemberwortel, geraspt

1 tl gemberpoeder

4 el zoete sherry

1 el tomatenpuree

1 el bruine rietsuiker

1 dl sinaasappelsap

1 tl maïzena

1 sinaasappel, schoongemaakt

geknipte bieslook, ter garnering

1 Verhit de olie in een grote, voorverwarmde wok. Roerbak hierin in 3 minuten op hoog vuur ui, wortels en knoflook tot de groenten zacht beginnen te worden.

2 Snijd de kip in dunne reepjes. Doe ze ook in de wok met de verse en de gemalen gember. Roerbak dit nog 10 minuten tot de kip gaar en goudbruin is.

3 Vermeng de sherry, de tomatenpuree, de suiker, het sinaasappelsap en de maïzena in een kom. Verhit het mengsel al roerend in de wok tot het begint te borrelen en het vocht indikt.

4 Schep er voorzichtig de partjes sinaasappel door.

5 Leg de geroerbakte kip op voorverwarmde borden en garneer met vers bieslook. Serveer het direct.

kip met paprika

voor 4 personen

450 g kippenborst, zonder vel en
  botjes

2 el zonnebloemolie

1 teentje knoflook, uitgeperst

1 el komijnzaadjes

1 el verse gemberwortel, geraspt

1 vers rood chilipepertje, zonder
  zaadjes en gesneden

3 paprika's: een rode, een groene
  en een gele, zonder zaadjes en
  gesneden

100 g taugé

350 g paksoi of andere bladgroente

2 el zoete chilisaus

3 el lichte sojasaus

gefrituurde gember, ter garnering
  (zie TIP VAN DE KOK)

versgekookte noedels

1 Snijd met een scherp mes de kip in dunne reepjes.

2 Verhit de olie in een grote, voorverwarmde wok.

3 Roerbak hierin de kip gedurende 5 minuten.

4 Vermeng knoflook, komijn, gember en chilipeper met de kip in de wok.

5 Voeg alle paprika toe en roerbak het geheel nog eens 5 minuten.

6 Roerbak er de taugé, de paksoi, de zoete chili- en sojasaus door tot de paksoi begint te slinken.

7 Schep het gerecht in kommen, garneer met gember en serveer met de versgekookte noedels.

TIP VAN DE KOK

Voor de gefrituurde gember schilt u de gemberwortel en snijdt u een groot stuk in dunne plakjes. Doe de plakjes gember voorzichtig in een wok of pannetje met hete olie en frituur ze ongeveer 30 seconden. Schep de gefrituurde plakjes gember met een schuimspaan uit de olie en laat ze op keukenpapier goed uitlekken.

zoetzure kip met mango

voor 4 personen

1 el zonnebloemolie

6 kippenpoten, zonder vel en botjes

1 rijpe mango

2 teentjes knoflook, uitgeperst

225 g prei, in stukjes

100 g taugé

150 ml mangosap

1 el wittewijnazijn

2 el heldere honing

2 el tomatenketchup

1 tl maïzena

1 Verhit de zonnebloemolie in een grote, voorverwarmde wok.

2 Snijd met een scherp mes de kip in hanteerbare brokken.

3 Roerbak de kip in 10 minuten op hoog vuur gaar en goudbruin.

4 Pel intussen de mango en snijd de vrucht in plakjes.

5 Doe knoflook, prei, mango en taugé in de wok en roerbak de groenten 2-3 minuten mee tot ze zacht zijn.

6 Vermeng het mangosap, de wittewijnazijn, de honing en de tomatenketchup met de maïzena in een maatbeker of kom.

7 Giet het maïzenamengsel in de wok en roerbak het 2 minuten mee tot het sap begint in te dikken.

8 Schep het gerecht op een voorverwarmde schaal en dien het direct op.

kip met voorjaarsgroenten

voor 4 personen

2 el zonnebloemolie

450 g kippenborst, zonder vel en
botjes

2 teentjes knoflook, uitgeperst

1 groene paprika

100 g peultjes

6 lente-uitjes, gesneden, en wat
extra ter garnering

225 g voorjaarsgroenten of kool,
gesneden

160 g gelebonensaus

50 g cashewnoten, geroosterd

1 Verhit de zonnebloemolie in een
grote, voorverwarmde wok.

2 Snijd met een scherp mes de kip
in dunne reepjes.

3 Roerbak de kip met het knoflook
in 5 minuten dicht en bijna
goudbruin.

4 Haal met een scherp mes de
zaadjes uit de paprika en snijd
hem in dunne reepjes.

5 Roerbak de peultjes, lente-uitjes,
groene paprika, voorjaarsgroenten of kool 5 minuten mee tot de
groenten beetgaar zijn.

6 Roer de gelebonensaus ongeveer
2 minuten mee tot het mengsel
begint te borrelen.

7 Strooi de geroosterde cashewnoten over het mengsel en haal de
wok van het vuur.

8 Schep het mengsel op voorverwarmde borden en garneer het
desgewenst met extra lente-uitjes. Dien
het gerecht direct op.

kip met paprika en sinaasappel

voor 4 personen

3 el zonnebloemolie

350 g kippenpoten, zonder vel en
  botjes

1 ui, gesneden

1 teentje knoflook, uitgeperst

1 rode paprika, zonder zaadjes en
  gesneden

85 g peultjes

4 el lichte sojasaus

4 el droge sherry

1 el tomatenpuree

sap en geraspte schil van 1
  sinaasappel

1 tl maïzena

2 sinaasappels

100 g taugé

TIP VAN DE KOK

Taugé (uitgelopen mungbonen)
wordt in de Chinese keuken veel
gebruikt. Deze groente hoeft niet
lang te worden gekookt en kan
ook rauw worden gegeten.

1 Verhit de olie in een grote,
voorverwarmde wok. Roerbak
hierin in 2-3 minuten de kip dicht en
rondom lichtbruin.

2 Voeg het knoflook, de rode
paprika en de peultjes toe en
roerbak alles 5 minuten mee tot de
groenten beetgaar zijn en de kip
helemaal gaar is.

3 Vermeng sojasaus, sherry,
tomatenpuree, sinaasappelschil
en sinaasappelsap met de maïzena.
Doe dit mengsel in de wok en roerbak
alles tot het vocht begint in te dikken.

4 Pel met een scherp mes de
sinaasappels en snijd ze in
stukken. Doe de partjes in de wok met
de taugé en verwarm alles nog 2
minuten door.

5 Schep het gerecht op voorverwarmde borden en dien het
meteen op met gekookte rijst of
eiernoedels.

thaise rode kip met kerstomaatjes

voor 4 personen

1 el zonnebloemolie

450 g kippenborst, zonder vel en
botjes

2 teentjes knoflook, uitgeperst

2 el Thaise rode currypasta

2 el verse galanga of gemberwortel,
geraspt

1 el tamarindepasta

4 djeroek poeroetblaadjes

225 g zoete aardappels

6 dl kokosmelk

225 g kerstomaatjes, gehalveerd

3 el verse koriander, gehakt

jasmijnrijst of geurige Thaise rijst,
gekookt

3 Roerbak het knoflook, de currypasta, de galanga of gemberwortel, de tamarindepasta en djeroek poeroetblaadjes 1 minuut mee.

1 Verhit de zonnebloemolie in een grote, voorverwarmde wok.

2 Snijd de kip in dunne plakjes en roerbak deze 5 minuten in de wok.

4 Schil de aardappels en snijd ze in plakjes.

5 Voeg de kokosmelk en de zoete aardappels toe aan het mengsel in de wok en breng het geheel aan de

kook. Laat het 20 minuten op een matig vuur pruttelen tot het vocht begint in te dikken.

6 Roerbak de tomaatjes en de koriander nog eens 5 minuten mee. Schep vervolgens het gerecht op de borden en serveer het heet met gekookte rijst.

chop suey met kip

voor 4 personen

4 el lichte sojasaus

2 tl lichtbruine suiker

500 g kippenborst, zonder vel en
botjes

3 el plantaardige olie

2 uien, in vieren gesneden

2 teentjes knoflook, uitgeperst

350 g taugé

3 tl sesamolie

1 tl maïzena

3 el water

425 ml kippenbouillon

gesneden prei, ter garnering

1 Meng de sojasaus met de suiker tot de suiker is opgelost.

2 Verwijder het vet van de kip en snijd het vlees in dunne reepjes. Leg de kip in een diepe schaal en sprenkel er het sojamengsel over. Laat de kip 20 minuten marineren in de koelkast.

3 Verhit de olie in een voorverwarmde wok en roerbak de kip in 2-3 minuten goudbruin. Roerbak de uien en het knoflook 2 minuten mee. Voeg daarna de taugé toe en na 4-5 minuten ook de sesamolie.

4 Meng de maïzena met het water tot een gladde pasta. Giet de bouillon in de wok, voeg de maïzenapasta toe en breng het geheel al roerend aan de kook tot de saus dik en helder is. Serveer het gerecht met de sprietjes prei ter garnering.

kip met gele bonen

voor 4 personen

450 g kippenborst, zonder vel en
botjes

1 eiwit, geklopt

1 el maïzena

1 el rijstwijnazijn

1 el lichte sojasaus

1 tl poedersuiker

3 el plantaardige olie

1 teentje knoflook, uitgeperst

stukje gemberwortel van 1 cm,
geraspt

1 groene paprika, zonder zaadjes en
gesneden

2 grote paddestoelen, gesneden

3 el gelebonensaus

gele of groene paprika (garnering)

VARIATIE

In dit recept kunt u ook zwartebonensaus gebruiken. Deze saus
geeft een donkerder kleur aan
het gerecht maar de smaak is
vergelijkbaar met saus van gele
bonen.

1 Verwijder eventueel vet van de
kip en snijd het vlees in blokjes
van 2,5 centimeter.

2 Vermeng het eiwit en de maïzena
in een diepe kom. Doe de stukjes
kip erin en bedek ze rondom met het
mengsel. Laat het kippenvlees 20
minuten zo staan.

3 Meng de azijn, de sojasaus en de
rietsuiker in een kom.

4 Haal de kip uit het eiwitmengsel.

5 Verhit de olie in een voorverwarmde wok en roerbak hierin de
kip in 3-4 minuten goudbruin. Schep
de stukjes kip met een schuimspaan uit
de wok en laat ze op keukenpapier
uitlekken. Houd ze warm.

6 Roerbak 1-2 minuten het
knoflook, de paprika en de
paddestoelen.

7 Bak de gelebonensaus 1 minuut
mee. Roer het azijnmengsel en de
kip 1-2 minuten mee en dien het
gerecht warm op, gegarneerd met
reepjes paprika.

kip met bonen

voor 4 personen

225 g gedroogde zwartoogboon-
tjes, een nacht geweekt en
uitgelekt

1 tl zout

2 uien, gehakt

2 teentjes knoflook, uitgeperst

1 tl koenjitpoeder

1 tl komijnpoeder

1,25 kg kip, in acht stukken verdeeld

1 groene paprika, zonder zaadjes en
gesneden

2 el plantaardige olie

verse gemberwortel van 2,5 cm,
geraspt

2 tl korianderzaadjes

$\frac{1}{2}$ tl venkelzaadjes

2 tl garam masala

1 el versgehakte koriander, ter
garnering

1 Doe de gedroogde bonen in een wok of pan met zout, uien, knoflook, koenjit en komijn. Doe zoveel water in de pan dat de bonen onderstaan en kook ze 15 minuten.

2 Voeg de kip en de groene paprika toe en breng alles opnieuw aan de kook. Temper het vuur en laat het geheel zachtjes 30 minuten prutteln tot de bonen zacht zijn en er helder vocht uit de kip komt als je in de dikste delen prikt.

3 Verhit de olie in een wok of koekenpan en fruit hierin in 30 seconden de gember, de koriander- en venkelzaadjes.

4 Roer de kruiden bij de kip en voeg de garam masala toe. Laat het geheel zachtjes 5 minuten prutteln, garneer het met gehakte koriander en serveer de maltijd meteen.

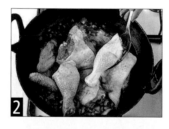

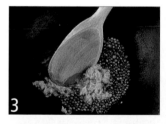

gesmoorde knoflookkip

voor 4 personen

4 teentjes knoflook, gehakt

4 sjalotjes, gehakt

2 verse rode chilipepertjes, zonder
zaadjes en fijngehakt

1 stengel citroengras, fijngehakt

1 el verse koriander, gehakt

1 tl garnalenpasta

$\frac{1}{2}$ tl kaneelpoeder

1 el tamarindepasta

2 el plantaardige olie

8 kleine stukjes kip (drumsticks)

3 dl kippenbouillon

1 el Thaise vissaus

1 el pindakaas

4 el pinda's, geroosterd en
fijngehakt

zout en peper

OM TE SERVEREN

geroerbakte groenten

versgekookte noedels

1 Stamp knoflook, sjalotjes, chilipepertjes, citroengras, koriander en garnalenpasta in een vijzel tot een bijna gladde pasta. Roer er vervolgens kaneel en tamarinde door.

2 Verhit de olie in een wok of koekenpan. Bak hierin onder regelmatig keren de kip rondom goudbruin. Schep de kip met een schuimspaan eruit en houd hem warm. Verwijder overtollig vet.

3 Roerbak de knoflookpasta in de wok op een matig vuur lichtbruin. Roer de bouillon erdoor en voeg dan de kip toe.

4 Breng alles aan de kook, doe een deksel op de pan en laat het geheel 25-30 minuten prutrelen tot de kip zacht en gaar is. Roer er de vissaus en de pindakaas door en laat alles nog 10 minuten prutrelen.

5 Breng het gerecht op smaak met zout en peper en strooi er de gehakte pinda's over. Serveer het meteen met kleurrijke geroerbakte groenten en versgekookte noedels.

kip met citroen en sesamzaad

voor 4 personen

4 kippenborsten, zonder vel en
  botjes

1 eiwit

25 g sesamzaadjes

2 el plantaardige olie

1 ui, gesneden

1 el bruine rietsuiker

sap en geraspte schil van 1 citroen

3 el citroenpasta

200 g waterkastanjes uit blik

citroenschilletjes, ter garnering

gekookte rijst

TIP VAN DE KOK

Waterkastanjes worden in
oosterse gerechten vaak toegevoegd vanwege hun knapperige
structuur en niet vanwege enige
specifieke smaak.

1 Sla de kip met een deegroller
tussen twee vellen huishoudfolie
plat. Snijd het vlees daarna in dunne
reepjes.

2 Klop het eiwit los en schuimend.

3 Doop de reepjes kip eerst in het
eiwit en wentel ze dan rondom
door de sesamzaadjes.

4 Verhit de olie in een grote,
voorverwarmde wok.

5 Doe de uien in de wok en roerbak
ze tot ze zacht zijn.

6 Doe de met sesamzaadjes
bedekte reepjes kip in de wok en
roerbak ze 5 minuten mee tot ze er
goudbruin uitzien.

7 Maak een mengsel van suiker,
citroenschil en -sap en citroenpasta en doe dit ook in de wok. Laat dit
mengsel zachtjes pruttelen zonder te
roeren.

8 Laat de kastanjes uitlekken en
snijd ze met een scherp mes fijn.
Doe ze ook in de wok en verhit ze 2
minuten. Schep het gerecht in
kommen, garneer het met citroenschil
en serveer het warm met rijst.

kip met cashewnoten en gelebonensaus

voor 4 personen

450 g kippenborst, zonder botjes

2 el plantaardige olie

1 rode ui, gesneden

175 g kastanjechampignons,
 gesneden

100 g cashewnoten

75 g gelebonensaus

verse koriander, ter garnering

gebakken eierrijst

1 Verwijder desgewenst met een scherp mes wat vel van de kip. Snijd dan het vlees in kleine hanteerbare brokken.

2 Verhit de olie in een voorverwarmde wok.

3 Roerbak hierin de kip 5 minuten op matig vuur.

4 Voeg de rode ui en de champignons toe en roerbak ze 5 minuten mee.

5 Leg de cashewnoten op een bakplaat en rooster ze onder een voorverwarmde grill lichtbruin – dit verhoogt hun smaak.

6 Doe de geroosterde cashewnoten met de gelebonensaus in de wok en laat de saus 2-3 minuten pruttelen.

7 Schep het mengsel in voorverwarmde kommen en garneer het met verse koriander. Dien alles meteen op met gebakken rijst met sliertjes ei.

TIP VAN DE KOK

Kippenpoten zijn goedkoper dan kippenborst, maar smaken ook heel goed in dit recept.

paprikakip met sugar snaps

voor 4 personen

2 el tomatenketchup

2 el lichte sojasaus

450 g kippenborst, zonder vel en
botjes

2 el gekneusde peperkorrels

2 el zonnebloemolie

1 rode paprika

1 groene paprika

175 g sugar snaps

2 el oestersaus

VARIATIE

In plaats van sugar snaps kunt u
peultjes of sperziebonen gebruiken.

1 Meng de tomatenketchup met de sojasaus in een kom.

2 Snijd met een scherp mes de kip in dunne reepjes. Wentel de kip door het ketchup-sojamengsel.

3 Strooi de gemalen peper op een bord. Wentel de kip rondom door de peperkorrels, totdat het vlees gelijkmatig is bedekt.

4 Verhit de olie in een voorverwarmde wok.

5 Roerbak hierin de kip 5 minuten.

6 Haal de zaadjes uit de rode en groene paprika en snijd ze in reepjes.

7 Roerbak de paprika met de sugar snaps nog 5 minuten bij de kip in de wok.

8 Voeg de oestersaus toe en laat het geheel 5 minuten pruttelen. Schep het gerecht in kommen en dien deze direct op.

1

2

6

59

sojakip met honing en taugé

voor 4 personen

2 el heldere honing

3 el lichte sojasaus

1 tl Chinees vijfkruidenpoeder

1 el zoete sherry

1 teentje knoflook, uitgeperst

8 kippenpoten

1 el zonnebloemolie

1 vers rood chilipepertje

100 g babymaïskolfjes, gehalveerd

8 lente-uitjes

150 g taugé

TIP VAN DE KOK

Chinees vijfkruidenpoeder is in veel grote supermarkten verkrijgbaar en is een mengsel van geurige kruiden.

1 Vermeng de honing, de soja, het vijfkruidenpoeder, de sherry en het knoflook in een grote kom.

2 Maak met een scherp mes drie sneden in het vel van elke kippenpoot. Smeer de kip in met het honing-sojamengsel en laat het ten minste 30 minuten intrekken.

3 Verhit de olie in een grote, voorverwarmde wok.

4 Roerbak hierin de kip op tamelijk hoog vuur in 12-15 minuten bruin en krokant. Schep de kip er vervolgens met een schuimspaan uit.

5 Verwijder met een scherp mes de zaadjes uit het pepertje en snijd dit heel fijn.

6 Roerbak het pepertje, de maïs, de lente-uitjes en de taugé 5 minuten mee in de wok.

7 Leg de kip terug in de wok, vermeng alles en maak het gerecht goed warm.

8 Schep de maaltijd op borden en dien deze meteen op.

pikante kip met krokant basilicum

voor 4 personen

8 kipdrumsticks

2 el sojasaus

1 el zonnebloemolie

1 vers rood chilipepertje

100 g wortels, in luciferdunne
    reepjes gesneden

6 stengels bleekselderij, in lucifer-
    dunne reepjes gesneden

3 el zoete chilisaus

frituurolie

ongeveer 50 blaadjes vers basilicum

1 Ontvel desgewenst de drumsticks.
  Maak in elke drumstick drie
inkepingen en strijk het vlees in met de
sojasaus.

2 Verhit de zonnebloemolie in een
  voorverwarmde wok en roerbak
hierin de kip in 20 minuten gaar en
goudkleurig.

3 Haal de zaadjes uit het pepertje
  en snijd het fijn. Roerbak het
pepertje, de wortels en de selderij
5 minuten mee. Roer er dan de
chilisaus door, doe een deksel op de
pan en laat het geheel zachtjes
pruttelen.

4 Verhit in de tussentijd een beetje
  olie in een zware pan. Doe hierin
voorzichtig het basilicum en pas op
voor spatten! Frituur de blaadjes 30
seconden tot ze gaan krullen, maar
voorkom dat ze bruin worden. Laat ze
uitlekken op keukenpapier.

5 Schep de kip, de groenten en de
  jus op een voorverwarmde
schaal, garneer het met het krokante
basilicum en serveer de maaltijd met
gekookte noedels.

knoflookkip met koriander en limoen

voor 4 personen

4 grote kippenborsten, zonder vel
en botjes

50 g zachte knoflookboter

3 el verse koriander, gehakt

1 el zonnebloemolie

sap en geraspte schil van 2
limoenen

25 g palmsuiker of bruine rietsuiker

verse koriander, ter garnering (naar
keuze)

gekookte rijst

1 Sla de kip met een deegroller
tussen twee vellen huishoudfolie
plat tot ongeveer 1 centimeter dikte.

2 Bestrijk de plakken kip met een
mengsel van knoflookboter en
koriander. Rol de plakken op en zet ze
met een prikker vast.

3 Verhit de olie in een wok en bak
hierin de kiprolletjes in 15-20
minuten gaar.

4 Haal de kip uit de wok en snijd
elk rolletje in plakjes.

5 Doe limoensap en -schil en suiker
in de wok en verwarm dit
mengsel zachtjes tot de suiker is
opgelost. Zet het vuur hoger en laat
alles nog 2 minuten pruttelen.

6 Leg de kip op voorverwarmde
borden en schenk de saus erover.

7 Garneer het gerecht eventueel
met extra koriander en serveer het
met rijst.

geroerbakte thaise kip

voor 4 personen

3 el arachideolie

350 g kippenborst, zonder vel en
botjes, gesneden

8 sjalotjes, gesneden

2 teentjes knoflook, fijngehakt

2 tl verse gemberwortel, geraspt

1 vers groen chilipepertje, zonder
zaadjes en fijngehakt

1 rode paprika, zonder zaadjes en
fijngesneden

1 groene paprika, zonder zaadjes en
fijngesneden

3 courgettes, fijngesneden

2 el amandelen, gemalen

1 tl kaneelpoeder

1 el oestersaus

20 g kokos, geraspt

zout en peper

1 Verhit de arachideolie in een voorverwarmde wok. Roerbak hierin de kip, op smaak gebracht met zout en peper, in ongeveer 4 minuten op een matig vuur.

2 Roerbak vervolgens de sjalotjes, het knoflook, de gember en de verse groene chilipepertjes 2 minuten mee.

3 Voeg de rode en de groene paprika en de courgettes toe en bak ze ongeveer 1 minuut.

4 Roer de amandelen, het kaneel, de oestersaus en het kokos door het mengsel en breng het op smaak met zout en peper. Verhit het nog 1 minuut goed en serveer het meteen.

TIP VAN DE KOK

Kokos wordt als 'santen' in supermarkten of Aziatische winkels in pakjes verkocht. Het is handig om in voorraad te hebben: het geeft een rijke en volle smaak.

gesauteerde kip met maïs

voor 4 personen

4 kippenborsten, zonder vel en
  botjes
250 g babymaïskolfjes
250 g peultjes
2 el zonnebloemolie
1 el sherryazijn
1 el heldere honing
1 el lichte sojasaus
1 el zonnebloempitten
peper
gekookte rijst of eiernoedels

VARIATIE

In plaats van sherryazijn kunt u
ook heel goed rijstazijn of
balsamicoazijn gebruiken.

1 Snijd met een scherp mes de kip in lange, dunne reepjes.

2 Snijd de maïskolfjes in de lengte of diagonaal doormidden en maak de peultjes schoon.

3 Verhit de olie in een voorverwarmde wok of brede koekenpan.

4 Roerbak hierin de kip 1 minuut op tamelijk hoog vuur.

5 Roerbak vervolgens de maïs en de peultjes op een matig vuur 5-8 minuten mee tot ze beetgaar zijn. De groenten moeten nog knapperig zijn.

6 Vermeng azijn met honing en sojasaus in een kleine kom.

7 Roer het azijnmengsel met de zonnebloempitten door het mengsel in de pan.

8 Breng alles op smaak met zout en peper en laat het, al roerend, nog 1 minuut op het vuur.

9 Serveer de gesauteerde kip en maïs meteen met gekookte rijst of noedels.

korianderkip met thaise kruiden

voor 4 personen

4 kippenborsten, zonder vel en

    botjes

2 teentjes knoflook, schoongemaakt

1 vers groen chilipepertje, zonder

    zaadjes

stukje verse gemberwortel van 2 cm

4 el verse koriander, gehakt

geraspte schil van 1 limoen

3 el limoensap

2 el lichte sojasaus

1 el poedersuiker

175 ml kokosmelk

OM TE SERVEREN

gekookte witte rijst

komkommer-radijssalade

1 Maak met een scherp mes drie diepe inkepingen in het vel en vlees van elk stuk kip. Leg ze in een brede, niet-metalen schaal.

2 Maal knoflook, chilipeper, koriander, limoenschil en -sap, suiker en kokosmelk in een keukenmachine tot een gladde puree.

3 Bestrijk de stukken kip rondom in met de puree en laat ze afgedekt ongeveer 1 uur in de koelkast marineren.

4 Schep de stukken uit de schaal, veeg overtollige marinade eraf en zet ze 12-15 minuten onder een voorverwarmde grill tot ze helemaal gaar zijn.

5 Breng intussen de resterende marinade in een wok of pan aan de kook. Temper het vuur en laat de marinade 3-5 minuten goed warm worden. Haal de wok of pan van het vuur.

6 Leg de kip op de voorverwarmde borden en giet de saus erover. Serveer het gerecht meteen met gekookte rijst en komkommer-radijssalade.

3

4

5

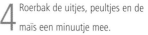

kip met mango

voor 4 personen

6 kippenpoten, zonder vel en botjes

verse gemberwortel, geraspt

1 teentje knoflook, uitgeperst

1 klein vers rood chilipepertje,
    zonder zaadjes

1 grote rode paprika, zonder zaadjes

4 lente-uitjes

200 g peultjes

100 babymaïskolfjes

1 grote rijpe mango

2 el zonnebloemolie

1 el lichte sojasaus

3 el rijstwijn of droge sherry

1 tl sesamolie

zout en peper

vers geknipt bieslook, ter garnering

1 Snijd de kip in lange, dunne reepjes en doe ze in een kom. Meng gember, knoflook en chilipepertje door elkaar en wentel de kipreepjes hier rondom doorheen.

2 Snijd de paprika in dunne, schuine stukjes. Maak de uitjes schoon en snijd ze, evenals de peultjes en de maïs, in schuine stukjes. Schil de mango, verwijder de pit en snijd de vrucht in kleine stukjes.

3 Verhit de zonnebloemolie in een grote, voorverwarmde wok. Schroei hierin al roerend de kip in 4-5 minuten dicht en bijna goudbruin. Voeg de rode paprika toe en roerbak de groente op een matig vuur in 4-5 minuten zacht.

4 Roerbak de uitjes, peultjes en de maïs een minuutje mee.

5 Voeg de sojasaus, de rijstwijn of sherry en de sesamolie bij het mengsel. Doe ook de mango in de wok en laat het, rustig roerend, in 1 minuut goed heet worden.

6 Breng het gerecht op smaak met zout en peper en garneer het met vers bieslook. Serveer de maaltijd meteen.

eend met babymaïs en ananas

voor 4 personen

4 eendenborsten

1 tl Chinees vijfkruidenpoeder

1 el maïzena

1 el chiliolie

225 g zilveruitjes

2 teentjes knoflook, uitgeperst

100 g babymaïskolfjes

175 g ananasstukjes uit blik

6 lente-uitjes, gesneden

100 g taugé

2 el pruimensap

1 Ontvel de eend en snijd het vlees in dunne plakjes.

2 Meng het vijfkruidenpoeder met de maïzena in een kom door elkaar. Wentel het eendenvlees door dit mengsel.

3 Verhit de olie in een voorverwarmde wok en roerbak hierin de eend 10 minuten tot het vlees aan de randen knapperig wordt. Haal het met een schuimspaan uit de wok en houd het warm.

4 Roerbak de uien en het knoflook in 5 minuten zacht en bak dan de maïs 5 minuten mee. Voeg vervolgens de ananas, de lente-uitjes en de taugé toe en na 3-4 minuten ook het pruimensap.

5 Roer de eend goed door het mengsel. Schep het gerecht op voorverwarmde borden en serveer meteen.

gembereend met rijst

voor 4 personen

2 eendenborsten, in schuine, dunne plakjes gesneden

2-3 el Japanse sojasaus

1 el mirin (stroperige rijstwijn) of medium dry sherry

2 tl bruine rietsuiker

stukje verse gemberwortel van 5 cm, fijngehakt of geraspt

4 el arachideolie

2 teentjes knoflook, uitgeperst

300 g langkorrelige witte of bruine rijst

8,5 dl kippenbouillon

115 g gekookte magere ham, fijngesneden

175 g peultjes, schuin gehalveerd

40 g taugé, afgespoeld

8 lente-uitjes, fijngesneden

2-3 el verse koriander, gehakt

zoete of hete chilisaus (naar keuze)

1 Meng de eend in een diepe kom met 1 eetlepel sojasaus, de mirin, de helft van de bruine suiker en een derde van de gember. Zorg dat de plakjes eend rondom met het mengsel zijn bedekt en laat ze op kamertemperatuur marineren.

2 Verhit op matig vuur 2-3 eetlepels arachideolie in een grote, zware pan. Roerbak hierin het knoflook en de helft van de resterende gember ongeveer 1 minuut tot er geur vanaf komt. Roerbak in ongeveer 3 minuten de rijst doorzichtig en lichtgekleurd.

3 Voeg 7 dl bouillon toe en 1 theelepel sojasaus en breng dit aan de kook. Laat het geheel, afgesloten en op laag vuur, 20 minuten pruttelen tot de rijst gaar is en het vocht is opgenomen. Doe dan het vuur uit, maar laat het deksel op de pan.

4 Verhit de resterende arachideolie in een grote wok. Laat de plakjes eend uitlekken en roerbak ze daarna ongeveer 3 minuten zachtjes tot ze net gaan kleuren. Bak 1 eetlepel sojasaus en de resterende suiker een minuutje mee. Haal de plakjes eend dan uit de pan, maar houd ze warm.

5 Roerbak de ham, de peultjes, de taugé, de uitjes, de resterende gember en ongeveer de helft van de koriander. Voeg ongeveer 1,25 dl bouillon toe en roerbak het mengsel tot het vocht bijna helemaal is ingedikt. Schep de rijst erdoor en voeg eventueel een scheutje chilisaus toe.

6 Schep alles op een schaal met de eend bovenop en bestrooi het met de resterende koriander.

eend met mango

voor 4 personen

2 rijpe mango's

3 dl kippenbouillon

2 teentjes knoflook, uitgeperst

1 tl verse gemberwortel, geraspt

2 grote eendenborsten à 225 g,
   zonder vel

3 el plantaardige olie

1 tl wijnazijn

1 tl lichte sojasaus

1 prei, gesneden

verse gehakte peterselie

1 Schil de mango's. Snijd het vruchtvlees aan beide zijden van de pit af en daarna in reepjes.

2 Maal de helft van de mango met de bouillon in een keukenmachine tot een gladde massa. U kunt de mango's ook met de achterkant van een lepel door een fijne zeef persen en dan met de bouillon vermengen.

3 Wrijf de eendenborsten in met knoflook en gember. Verhit de olie in een voorverwarmde wok en schroei de eendenborsten onder regelmatig keren dicht. Laat de olie in de wok, maar haal de eend eruit.

4 Zet de eendenborsten ongeveer 20 minuten op een rooster in een voorverwarmde oven van 220 °C tot de eend gaar is.

5 Doe intussen het mangomengsel in een pan met de wijnazijn en de lichte sojasaus.

6 Breng het mengsel aan de kook en laat het al roerend op een hoog vuur tot de helft inkoken.

7 Verhit de bewaarde olie in de wok en roerbak hierin gedurende 1 minuut de prei en de overgebleven reepjes mango. Schep ze vervolgens uit de wok op een schaal en houd ze warm.

8 Snijd de eendenborsten in plakjes en rangschik ze op het prei-mangomengsel. Schenk de saus over de plakjes eend en garneer het geheel met gehakte peterselie. Serveer de maaltijd meteen.

krokante eend met noedels en tamarinde

voor 4 personen

400 g eendenborst

2 teentjes knoflook, uitgeperst

1,5 tl chilipasta

1 el heldere honing

3 el donkere sojasaus

½ tl Chinees vijfkruidenpoeder

250 g brede rijstnoedels

1 tl plantaardige olie

1 tl sesamolie

2 lente-uitjes, gesneden

100 g peultjes

2 el tamarindesap

sesamzaadjes, ter garnering

1 Prik met een vork rondom gaatjes in het vel van de eendenborst en leg het vlees in een diepe schaal.

2 Meng knoflook, chili, honing, soja en vijfkruidenpoeder en giet dit over de eend. Laat hierin de stukken eend ten minste een uur in de koelkast marineren.

3 Week intussen de rijstnoedels 15 minuten in heet water of volg de aanwijzingen op de verpakking. Laat ze goed uitlekken.

4 Schep de stukken eend uit de marinade en laat ook deze goed uitlekken. Leg ze vervolgens 10 minuten op een rooster onder een hete grill, onder regelmatig draaien, goudbruin. Leg ze op een plank en snijd ze in dunne plakken.

5 Verhit de plantaardige olie en de sesamolie in een voorverwarmde wok en roerbak hierin 2 minuten de uitjes en de peultjes. Voeg de bewaarde marinade en het tamarindesap toe en breng dit mengsel aan de kook.

6 Schep de eend en de noedels erdoor en verhit alles goed. Schep het op voorverwarmde borden en serveer direct, bestrooid met sesamzaad.

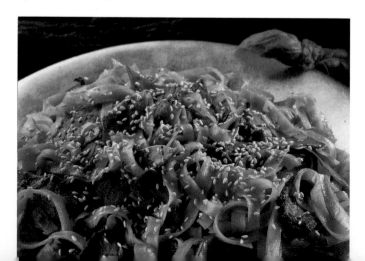

hoisineend met prei en kool

voor 4 personen

4 eendenborsten

350 g groene kool

225 g prei

geraspte schil van 1 sinaasappel

6 el oestersaus

1 tl sesamzaadjes, geroosterd

1 Verhit een grote wok en bak hierin zonder olie de eendenborst, met vel, ongeveer 5 minuten aan elke kant (eventueel in porties van twee).

2 Haal de eend met een tang uit de wok en leg deze op een snijplank.

3 Snijd de eend met een scherp mes in dunne plakjes.

4 Gooi al het vet uit de wok weg, maar bewaar 1 lepel.

5 Snijd met een scherp mes de groene kool fijn.

6 Roerbak de prei, de kool en de sinaasappelschil ongeveer 5 minuten in de wok tot ze zacht zijn.

7 Verwarm vervolgens de plakjes eend 2-3 minuten mee.

8 Sprenkel de oestersaus over het mengsel in de wok, schep alles goed door tot alle ingrediënten zijn gemengd en doorgewarmd.

9 Bestrooi het gerecht met de geroosterde sesamzaadjes, schep het op een voorverwarmde schaal en serveer het gerecht heet.

kalkoen met cranberry's

voor 4 personen

450 g kalkoenborst

2 el zonnebloemolie

15 g stemgember

50 g cranberry's, vers of uit de
diepvries

100 g kastanjes uit blik

4 el cranberrysaus

3 el lichte sojasaus

zout en peper

TIP VAN DE KOK

De wok moet heel heet zijn
voordat u begint met roerbakken.
U kunt dit testen door uw hand
ongeveer 7,5 centimeter boven
de bodem van de pan te houden
– u moet dan de warmte kunnen
voelen.

---

1 Verwijder al het vel van de kalkoen en snijd de kalkoenborst met een scherp mes in dunne plakken.

2 Verhit de olie in een voorverwarmde wok of zware pan.

3 Roerbak hierin de kalkoen 5 minuten tot hij gaar is.

4 Laat de gember uitlekken en snijd deze vervolgens met een scherp mes fijn.

5 Roerbak de gember en de cranberry's 2-3 minuten tot deze zacht zijn.

6 Voeg de kastanjes, de cranberry- en de sojasaus toe, breng het geheel op smaak met zout en peper en laat alles 2-3 minuten pruttelen.

7 Schep het kalkoengerecht op voorverwarmde borden en dien het meteen op.

rundvlees met bamboespruiten en peultjes

voor 4 personen

350 g lendenbiefstuk

3 el donkere sojasaus

1 el tomatenketchup

2 teentjes knoflook, uitgeperst

1 el vers citroensap

1 tl korianderpoeder

2 el plantaardige olie

175 g peultjes

200 g bamboespruiten uit blik,
  afgespoeld en uitgelekt

1 tl sesamolie

1 Snijd het vlees in dunne plakken en leg het in een niet-metalen schaal met de sojasaus, de tomatenketchup, het knoflook, het citroensap en het korianderpoeder. Zorg dat het vlees goed met de marinade is bestreken. Bedek de schaal met huishoudfolie en laat het vlees minstens 1 uur marineren.

2 Verhit de plantaardige olie in een voorverwarmde wok. Roerbak hierin het vlees 2-4 minuten naar wens roze, medium of gaar.

3 Roerbak de peultjes en bamboespruiten op hoog vuur nog 5 minuten mee.

4 Sprenkel er de sesamolie over en schep alles goed door elkaar. Serveer het gerecht heet.

pikante rundersalade

voor 4 personen

450 g lendenbiefstuk

2 teentjes knoflook, uitgeperst

1 tl chilipoeder

$\frac{1}{2}$ tl zout

1 tl korianderpoeder

1 rijpe avocado

2 el zonnebloemolie

425 g rode kidney beans uit blik,
  uitgelekt

175 g kerstomaatjes, gehalveerd

1 grote zak tortillachips

ijsbergsla, in stukjes

verse koriander, gehakt

1 Snijd met een scherp mes de biefstuk in smalle reepjes.

2 Meng knoflook, chilipoeder, zout en korianderpoeder in een grote kom goed door elkaar.

3 Wentel de reepjes biefstuk goed door de marinade.

4 Schil met een scherp mes de avocado en snijd hem in de lengte door. Verwijder de pit en snijd het vruchtvlees in kleine blokjes.

5 Verhit de olie in een voorverwarmde wok. Roerbak hierin de biefstuk 5 minuten.

6 Roerbak vervolgens de kidney beans, tomaten en avocado 2 minuten mee.

7 Schik de chips en de ijsbergsla op de rand van een schaal en leg de biefstuk in het midden. U kunt de chips en de sla ook apart serveren.

8 Garneer het gerecht met vers gehakte koriander en dien het direct op.

rundvlees met bonen

voor 4 personen

450 g kogel- of haasbiefstuk, in
stukjes van 2,5 cm

MARINADE

2 tl maïzena

2 el donkere sojasaus

2 tl arachideolie

SAUS

2 el plantaardige olie

3 teentjes knoflook, uitgeperst

1 kleine ui, in 8 stukjes

225 g sperziebonen, gehalveerd

25 g ongezouten cashewnoten

25 g bamboespruiten uit blik,
afgespoeld en uitgelekt

2 tl donkere sojasaus

2 tl Chinese rijstwijn of droge sherry

1,25 dl runderbouillon

2 tl maïzena

4 tl water

zout en peper

1 Meng voor de marinade maïzena, sojasaus en arachideolie door elkaar.

2 Leg de biefstuk in een diepe glazen kom. Giet de marinade erover, wentel het vlees er goed door, en laat het ten minste 30 minuten in de koelkast marineren.

3 Verhit voor de saus de olie in een voorverwarmde wok. Roerbak hierin knoflook, ui, boontjes, cashewnoten en bamboespruiten 2-3 minuten.

4 Haal het vlees uit de marinade en laat het even uitlekken. Roerbak het dan 3-4 minuten mee in de wok.

5 Meng sojasaus, rijstwijn of sherry en runderbouillon door elkaar. Vermeng de maïzena met het water en roer dit goed door het sojamengsel.

6 Doe het mengsel ook in de wok, breng de saus aan de kook en laat hem al roerend indikken. Temper het vuur en laat het geheel 2-3 minuten pruttelen. Breng het gerecht op smaak en serveer het meteen.

rundvlees met sherry-sojasaus

voor 4 personen

2 el zonnebloemolie

350 g biefstuk, gesneden

1 rode ui, gesneden

175 g courgettes

175 g wortels, fijngesneden

1 rode paprika, zonder zaadjes en
gesneden

1 kleine krop Chinese kool, gesneden

150 g taugé

225 g bamboespruiten uit blik,
afgespoeld en uitgelekt

150 g cashewnoten, geroosterd

SAUS

3 el medium sherry

3 el lichte sojasaus

1 tl gemberpoeder

1 teentje knoflook, uitgeperst

1 tl maïzena

1 el tomatenpuree

1 Verhit de zonnebloemolie in een grote, voorverwarmde wok. Roerbak hierin 4-5 minuten de plakjes biefstuk en de rode ui tot de uien zacht worden en het vlees begint te bruinen.

2 Maak de courgettes schoon en snijd ze in dunne, schuine plakjes.

3 Doe de wortels, paprika en courgettes ook in de wok en roerbak ze 5 minuten mee.

4 Schep er de Chinese kool, taugé en bamboespruiten door en verwarm alles 2-3 minuten goed door tot de kool begint te slinken.

5 Strooi de cashewnoten in de wok en roer ze goed door het mengsel.

6 Meng voor de saus sherry, soja, gember, knoflook, maïzena en tomatenpuree goed door elkaar.

7 Giet de saus over het roerbak-mengsel, roer alles goed door en laat het 2-3 minuten pruttelen tot het vocht iets indikt.

8 Schep het op voorverwarmde borden en serveer meteen.

rundvlees met paprika en citroengras

voor 4 personen

500 g biefstuk

2 el plantaardige olie

1 teentje knoflook, fijngesneden

1 stengel citroengras, fijngeknipt

2 tl verse gemberwortel, fijngehakt

1 rode paprika, zonder zaadjes en
   grof gesneden

1 groene paprika, zonder zaadjes en
   grof gesneden

1 ui, grof gesneden

2 el limoensap

zout en peper

gekookte noedels of rijst

3 Roerbak het vlees 2-3 minuten mee tot het licht kleurt. Roer er het citroengras en de gember door en haal de pan van het vuur.

1 Leg bij voorkeur het vlees 30 minuten voor gebruik in de vriezer. Het vlees wordt dan steviger, zodat u het gemakkelijker heel dun kunt snijden. Snijd de biefstuk tegen de draad in, in lange, dunne reepjes.

4 Schep het vlees met een schuim- spaan uit de wok en houd het warm. Roerbak paprika's en ui 2-3 minuten op hoog vuur in de wok tot de ui lichtbruin en nog een beetje zacht is.

2 Verhit de olie op hoog vuur in een voorverwarmde wok. Roerbak hierin 1 minuut het knoflook.

5 Doe de biefstuk terug in de wok, roer er het limoensap door en breng het op smaak met zout en peper. Serveer het gerecht meteen met noedels of rijst.

83

knoflookbiefstuk met sojasaus

voor 4 personen

2 el sesamzaadjes

450 g biefstuk

2 el plantaardige olie

1 groene paprika, zonder zaadjes en fijngesneden

4 teentjes knoflook, uitgeperst

2 el droge sherry

4 el donkere sojasaus

6 lente-uitjes, gesneden

gekookte noedels

TIP VAN DE KOK

U kunt naar wens de sesamzaadjes op een bakplaat uitspreiden en onder een voorverwarmde grill rondom bruin roosteren.

1 Maak een grote wok of grote, zware koekenpan heel heet.

2 Bak hierin al roerend zonder olie de sesamzaadjes tot ze bruin beginnen te worden en geur gaan afgeven. Haal de zaadjes uit de wok en bewaar ze tot gebruik.

3 Snijd met een scherp mes of een Chinees hakmes de biefstuk in heel dunne plakjes.

4 Verhit de olie in de wok en schroei hierin de biefstuk in 2-3 minuten rondom dicht.

5 Roerbak de paprika en het knoflook 2 minuten mee.

6 Voeg dan sherry, sojasaus en uitjes toe en laat het mengsel ongeveer 1 minuut pruttelen. Roer af en toe om te voorkomen dat de ingrediënten aanbranden.

7 Schep het gerecht op voorverwarmde borden en strooi er de sesamzaadjes over. Serveer het met noedels.

rundvlees met taugé

voor 4 personen

bosje lente-uitjes, in de lengte
	fijngesneden

2 el zonnebloemolie

1 teentje knoflook, uitgeperst

1 tl verse gemberwortel, fijngehakt

500 g biefstuk, in dunne reepjes
	gesneden

1 grote rode paprika, zonder
	zaadjes en gesneden

1 vers rood chilipepertje, zonder
	zaadjes en fijngehakt

350 g taugé

1 kleine stengel citroengras,
	fijngehakt

2 el pindakaas

4 el kokosmelk

1 el rijstazijn

1 el sojasaus

1 tl lichtbruine basterdsuiker

250 g eiernoedels (medium)

zout en peper

1 Houd wat gesneden uitjes achter voor de garnering. Verhit de olie op hoog vuur in een voorverwarmde wok. Roerbak hierin de rest van de uitjes, het knoflook en de gember in 2-3 minuten zacht. Roerbak daarna de reepjes biefstuk 4-5 minuten mee tot ze rondom bruin zijn.

2 Bak de rode paprika 3-4 minuten mee en vervolgens de chilipeper en de taugé nog 2 minuten. Meng citroengras, pindakaas, kokosmelk, azijn, sojasaus en suiker en doe dit in de wok.

3 Kook intussen de noedels 4 minuten in lichtgezouten water of volg de aanwijzingen op de verpakking. Laat ze uitlekken en roer ze dan goed door het mengsel in de wok.

4 Breng het gerecht op smaak met zout en peper. Strooi de bewaarde uitjes over de biefstuk en serveer de maaltijd direct.

rundvlees met uitjes

voor 4 personen

450 g biefstuk

2 el lichte sojasaus

1 tl chiliolie

1 el tamarindepasta

2 el palmsuiker of bruine rietsuiker

2 teentjes knoflook, uitgeperst

2 el zonnebloemolie

225 g kleine uitjes

2 el verse koriander, gehakt

1 Snijd met een scherp mes de biefstuk in dunne reepjes.

2 Leg de biefstuk in een grote, diepe, niet-metalen schaal.

3 Meng soja, chiliolie, tamarindepasta, suiker en knoflook door elkaar.

4 Schep dit mengsel over de biefstuk en draai het vlees er goed doorheen. Dek de schaal af met huishoudfolie en laat het minstens 1 uur marineren.

5 Verhit de zonnebloemolie in een voorverwarmde wok.

6 Pel de uitjes en snijd ze doormidden. Roerbak ze 2-3 minuten tot ze bruin beginnen te worden.

7 Roerbak het vlees en de marinade ongeveer 5 minuten op hoog vuur mee.

8 Strooi er verse koriander over en serveer de maaltijd meteen.

pikant rundvlees met cashewnoten

voor 4 personen

500 g magere lendenbiefstuk,
   fijngesneden
1 tl plantaardige olie
1 tl sesamolie
4 el ongezouten cashewnoten
1 lente-uitje, in dikke, schuine
   stukken gesneden
schijfjes komkommer

MARINADE

1 el sesamzaadjes
1 teentje knoflook, gehakt
1 el verse gemberwortel, fijngehakt
1 vers rood pili-pilipepertje, gehakt
2 el donkere sojasaus
1 tl Thaise rode currypasta
versgekookte rijst

1 Snijd het rundvlees in reepjes van 1 centimeter. Leg ze in een grote, niet-metalen schaal.

2 Rooster voor de marinade de sesamzaadjes 2-3 minuten in een wok zonder olie op matig vuur.

3 Stamp de zaadjes in een vijzel met knoflook, gember en chili tot een gladde pasta. Meng de sojasaus en de currypasta er goed doorheen.

4 Schep de pasta over de reepjes vlees en roer dit goed door elkaar. Dek de kom af en laat het vlees 2-3 uur of een hele nacht in de koelkast marineren.

5 Verhit een wok of zware pan op hoog vuur en verhit hier vervolgens de plantaardige olie in. Bak hierin het vlees, al roerend, op hoog vuur lichtbruin. Schep het vlees uit de pan op een voorverwarmde schaal.

6 Verhit in een pannetje de sesamolie en bak hierin de cashewnoten goudbruin. Roerbak de ui 30 seconden mee. Strooi dit mengsel over het vlees en garneer het met komkommer.

varkensgehakt met muntsaus

voor 4 personen

500 g mager varkensgehakt

40 g vers wit broodkruim

½ tl pimentpoeder

1 teentje knoflook, uitgeperst

2 el verse munt, gehakt

1 ei, losgeklopt

2 el zonnebloemolie

1 rode paprika, zonder zaadjes en
   fijngesneden

2,5 dl kippenbouillon

4 ingelegde walnoten, gesneden

zout en peper

verse munt, ter garnering

gekookte rijst of noedels

1 Vermeng gehakt, broodkruim, piment, knoflook en de helft van de gehakte munt in een mengkom. Breng dit op smaak met zout en peper en bind het mengsel met het geklopte ei.

2 Kneed van het mengsel twintig kleine balletjes. Maak zo nodig uw handen vochtig.

3 Verhit de zonnebloemolie in een voorverwarmde wok, draai de pan rond tot de olie heel heet is. Roerbak de balletjes ongeveer 4-5 minuten tot ze rondom bruin zijn.

4 Schep de balletjes, als ze gaar zijn, met een schuimspaan uit de pan en laat ze heel goed uitlekken op keukenpapier.

5 Giet al het vet uit de pan op 1 eetlepel na en bak hierin de rode paprika in 2-3 minuten zacht, maar laat de groente niet bruin worden.

6 Voeg de bouillon toe en breng het geheel aan de kook. Breng het op smaak met zout en peper, schep de balletjes terug in de pan en roer ze goed door de saus. Laat ze 7-10 minuten prutelen en draai de balletjes af en toe om.

7 Voeg de resterende munt en de walnoten toe en laat alles al roerend nog 2-3 minuten prutelen.

8 Voeg eventueel nog wat kruiden toe en serveer de gehaktballetjes meteen met rijst of noedels, gegarneerd met takjes verse munt.

zoetzuur varkensvlees

voor 4 personen

450 g varkensfilet

2 el zonnebloemolie

225 g courgettes

1 rode ui, in reepjes gesneden

2 teentjes knoflook, uitgeperst

225 g wortels, in dunne sliertjes
gesneden

1 rode paprika, zonder zaadjes en
gesneden

100 g babymaïskolfjes

100 g champignons, gehalveerd

175 g verse ananas, in blokjes

100 g taugé

1,5 dl ananassap

1 el maïzena

2 el sojasaus

3 el tomatenketchup

1 el wittewijnazijn

1 el heldere honing

TIP VAN DE KOK

Voor een krokant korstje kunt u
het vlees met een mengsel van
maïzena en eiwit paneren en in
stap 2 frituren.

1 Snijd met een scherp mes de
varkensfilet in gelijke, dunne
stukken.

2 Verhit de zonnebloemolie in een
grote, voorverwarmde wok.
Roerbak het vlees hierin 10 minuten
tot het gaar is en knapperig aan de
randen.

3 Snijd intussen de courgettes in
dunne reepjes.

4 Roerbak ui, knoflook, paprika,
maïs en champignons
5 minuten mee.

5 Roerbak vervolgens de ananas-
blokjes en de taugé
2 minuten mee.

6 Meng ananassap, maïzena,
sojasaus, tomatenketchup,
wittewijnazijn en honing door elkaar.

7 Giet dit zoetzure mengsel in de
wok en laat het op hoog vuur
indikken. Schep het gerecht in kommen
en serveer heet.

varkensvlees met satésaus

voor 4 personen

150 g wortels

2 el zonnebloemolie

350 g varkensfilet, fijngesneden

1 ui, gesneden

2 teentjes knoflook, uitgeperst

1 gele paprika, zonder zaadjes en
    gesneden

150 g peultjes

75 g groene asperges

gezouten pinda's

SATÉSAUS

6 el pindakaas met stukjes

6 el kokosmelk

1 tl chilipoeder

1 teentje knoflook, uitgeperst

1 tl tomatenpuree

3 Roerbak de wortels, de gele paprika, de peultjes en de asperges 5 minuten mee.

4 Maak voor de satésaus de pindakaas, de kokosmelk, de chilivlokken, het knoflook en de tomatenpuree in een kleine pan al roerend warm. Zorg ervoor dat de ingrediënten niet aanbranden.

5 Doe het gerecht op voorverwarm- de borden, schep de satésaus erop en bestrooi het met de gehakte pinda's. Serveer de maaltijd direct.

1 Snijd met een scherp mes de wortels in dunne reepjes.

2 Verhit de olie in een grote, voorverwarmde wok. Roerbak hierin het vlees, de uien en het knoflook 5 minuten tot het vlees gaar is.

varkensvlees met pasta en groenten

voor 4 personen

3 el zonnebloemolie

350 g varkensfilet, in dunne reepjes
gesneden

450 g gedroogde tagliatelle

8 sjalotjes, gesneden

2 teentjes knoflook, fijngehakt

stukje verse gemberwortel van
2,5 cm

1 vers groen chilipepertje, fijngehakt

1 rode paprika, zonder zaadjes en
fijngesneden

1 groene paprika, zonder zaadjes en
fijngesneden

3 courgettes, fijngesneden

2 el amandelen, gemalen

1 tl kaneelpoeder

1 el oestersaus

55 g kokos, geraspt

zout en peper

de pasta in 10 minuten al dente. Giet
de pasta vervolgens goed af en houd
hem warm.

1 Verhit de zonnebloemolie in een
voorverwarmde wok. Wrijf het
vlees in met zout en peper en roerbak
het 5 minuten in de wok.

2 Breng intussen een grote pan
water met een beetje zout aan de
kook. Doe de tagliatelle erin, breng het
water opnieuw aan de kook en kook

3 Roerbak de sjalotjes, het
knoflook, de gember en de chili
2 minuten in de wok. Voeg dan de
paprika's en courgettes toe en roerbak
deze 1 minuut mee.

4 Voeg ten slotte de gemalen
amandelen, het kaneelpoeder, de
oestersaus en kokos toe en bak dit een
minuutje mee.

5 Schep de tagliatelle op een
schaal, doe er het roerbakmeng-
sel op en serveer de maaltijd meteen.

kruidig varkensvlees met eierrijst

voor 4 personen

275 g langkorrelige witte rijst

6 dl koud water

350 g varkensfilet

2 tl Chinees vijfkruidenpoeder

4 el maïzena

3 grote eieren

25 g bruine rietsuiker

2 el zonnebloemolie

1 ui

2 teentjes knoflook, uitgeperst

100 g wortels, gesneden

1 rode paprika, zonder zaadjes en
   gesneden

100 g doperwtjes

2 el boter

zout en peper

1 Spoel de rijst af met koud water.
Doe vervolgens de rijst in een
grote pan en voeg koud water en een
mespuntje zout toe. Breng dit aan de
kook, doe er een deksel op, temper het
vuur en laat het ongeveer 9 minuten
prutttelen of tot het vocht is opgenomen en de rijst gaar is.

2 Snijd intussen het varkensvlees
met een scherp mes of Chinees
hakmes in dunne, gelijke stukjes. Zet
ze tot gebruik apart.

3 Vermeng het vijfkruidenpoeder, de
maïzena, 1 ei en de suiker.
Wentel het vlees hier goed doorheen.

4 Verhit de zonnebloemolie in een
voorverwarmde wok en bak
hierin op hoog vuur het vlees gaar en
krokant. Schep het vlees met een
schuimspaan uit de wok en houd het
warm.

5 Snijd met een scherp mes de ui in
stukjes.

6 Roerbak ui, knoflook, wortels,
rode paprika en doperwtjes
5 minuten in de wok.

7 Bak daarna het vlees met de
gekookte rijst 5 minuten mee.

8 Verhit de boter in een koekenpan
en bak hierin de overgebleven,
losgeklopte eieren. Leg ze daarna op
een schone snijplank en snijd ze in
dunne reepjes. Schep deze eireepjes
door het rijstmengsel en serveer de
maaltijd meteen.

varkensvlees met daikon

voor 4 personen

4 el plantaardige olie

450 g varkensfilet

1 aubergine

225 g daikon

2 teentjes knoflook, uitgeperst

3 el lichte sojasaus

2 el zoete chilisaus

gekookte rijst of noedels

TIP VAN DE KOK

Daikon (of 'mooli') is een lange, witte radijs en wordt in geraspte vorm veel gebruikt in de Chinese keuken. Deze radijs is wat milder van smaak dan de rode radijs. Verkrijgbaar in de meest grote supermarkten.

1 Verhit 2 eetlepels plantaardige olie in een grote, voorverwarmde wok.

2 Snijd met een scherp mes het vlees in even grote stukjes.

3 Roerbak het vlees ongeveer 5 minuten in de wok.

4 Maak de aubergine schoon en snijd deze in blokjes. Schil de daikon en snijd hem in dunne plakjes.

5 Doe de resterende olie in de wok.

6 Roerbak hierin de aubergine met het knoflook 5 minuten.

7 Voeg vervolgens de daikon toe en bak deze 2 minuten mee.

8 Roer de sojasaus en de chilisaus door het mengsel en laat alles op hoog vuur goed warm worden.

9 Schep het vlees in kommen en serveer het met rijst of noedels.

gebakken varkensvlees met paprika

voor 4 personen

15 g gedroogde Chinese champignons

450 g varkensfricandeau

2 el plantaardige olie

1 ui, gesneden

3 paprika's: een rode, een groene en een gele, zonder zaadjes en in blokjes

4 el oestersaus

VARIATIE

Neem desgewenst kastanjechampignons in plaats van Chinese paddestoelen.

---

1 Doe de paddestoelen in een grote kom. Giet er zoveel water over dat ze onderstaan en laat ze 20 minuten weken.

2 Haal met een scherp mes overtollig vet van het vlees en snijd het vlees daarna in dunne reepjes.

3 Breng een grote pan met water aan de kook en kook het vlees hierin 5 minuten.

4 Schep het vlees met een schuimspaan uit de pan en laat het goed uitlekken.

5 Verhit de olie in een grote voorverwarmde wok en roerbak hierin ongeveer 5 minuten het vlees.

6 Haal de paddestoelen uit het water en laat ze goed uitlekken. Hak ze vervolgens in grove stukken.

7 Roerbak paddestoelen, uien en paprika 5 minuten in de wok.

8 Bak de laatste 2-3 minuten de oestersaus mee en schep dan het gerecht in kommen. Serveer meteen.

kruidige gehaktballetjes

voor 4 personen

450 g varkensgehakt

2 sjalotjes, fijngehakt

2 teentjes knoflook, uitgeperst

1 tl komijnzaad

½ tl chilipoeder

25 g volkoren broodkruim

1 ei, losgeklopt

2 el zonnebloemolie

400 g pikante tomatenstukjes uit
   blik

2 el sojasaus

200 g waterkastanjes uit blik,
   afgespoeld en uitgelekt

3 el verse koriander, gehakt

TIP VAN DE KOK

Doe een paar theelepels chilisaus
bij een blik tomatenblokjes, als u
de pikante versie niet kunt
vinden.

1 Doe het gehakt in een grote mengkom. Vermeng het goed met de sjalotjes, het knoflook, komijnzaad, chilipoeder, broodkruim en het geklopte ei.

2 Maak uw handen vochtig en draai tussen uw handpalmen van het gehaktmengsel kleine balletjes.

3 Verhit de olie in een grote, voorverwarmde wok en schroei hierin op hoog vuur in ongeveer 5 minuten, in porties, de balletjes rondom dicht.

4 Voeg de tomaten, sojasaus en waterkastanjes toe en breng het geheel aan de kook. Doe de gehaktballetjes terug in de wok, temper het vuur en laat alles nog 15 minuten prutelen.

5 Strooi de gehakte koriander over het gerecht en serveer het heet.

100

varkensvlees met pruimen

voor 4 personen

450 g varkensfilet

1 el maïzena

2 el lichte sojasaus

2 el Chinese rijstwijn

4 tl lichtbruine suiker

snufje kaneelpoeder

5 tl plantaardige olie

2 teentjes knoflook, uitgeperst

2 lente-uitjes, gehakt

4 el pruimensap

1 el hoisinsaus

1,5 dl water

scheutje chilisaus

TER GARNERING

partjes pruim, gebakken

lente-uitje

1 Snijd het vlees met een scherp mes in dunne plakjes.

2 Vermeng maïzena, sojasaus, rijstwijn, suiker en kaneelpoeder in een kleine kom.

3 Doe het vlees in een diepe schaal en schenk het maïzenamengsel erover. Schep het vlees goed door de marinade, dek de schaal af en laat het 30 minuten marineren.

4 Schep het vlees uit de schaal en bewaar de marinade.

5 Verhit de olie in een voorverwarmde wok en roerbak hierin in 3-4 minuten het vlees lichtbruin.

6 Roer er knoflook, uitjes, pruimensap, hoisinsaus, water en chilisaus door en breng de saus aan de kook. Temper het vuur, doe een deksel op de wok en laat het geheel 8-10 minuten pruttelen tot het vlees goed gaar is.

7 Roer de bewaarde marinade ongeveer 5 minuten mee.

8 Schep het vlees op een voorverwarmde schaal en garneer met gebakken partjes pruim en lente-uitjes. Serveer de maaltijd meteen.

knoflooklam met sojasaus

voor 4 personen

450 g magere lamskoteletten

2 teentjes knoflook

2 el arachideolie

3 el droge sherry of Chinese rijstwijn

3 el donkere sojasaus

1 tl maïzena

2 el water

2 el boter

1 Maak met een scherp mes kleine inkepingen in het lamsvlees.

2 Pel voorzichtig de teentjes knoflook en snijd ze in dunne stukjes.

3 Stop de knoflookstukjes in de inkepingen van het lamsvlees. Leg het lamsvlees in een diepe schaal.

4 Meng in een kleine kom 1 eetlepel olie, 1 eetlepel sherry en 1 eetlepel sojasaus. Sprenkel dit mengsel over het vlees en zorg ervoor dat het er rondom mee is bedekt. Dek de schaal af met huishoudfolie en laat het minstens 1 uur, maar liever een hele nacht, marineren.

5 Laat het vlees uitlekken en bewaar de marinade. Snijd het vlees in dunne plakken.

6 Verhit de resterende olie in een voorverwarmde wok en roerbak hierin 5 minuten het gemarineerde lamsvlees.

7 Doe het marinadevocht en de resterende sherry en sojasaus ook in de wok en laat de saus 5 minuten borrelen.

8 Meng de maïzena met het water tot een gladde pasta. Schenk dit mengsel in de wok en laat het geheel al roerend een beetje indikken.

9 Snijd de boter in kleine stukjes, doe ze in de wok en blijf roeren totdat ze gesmolten zijn. Schep het lamsvlees op de borden en serveer de maaltijd meteen.

103

thais lamsvlees met djeroek poeroet

voor 4 personen

2 verse rode chilipepertjes

2 el arachideolie

2 teentjes knoflook, uitgeperst

4 sjalotjes, gehakt

2 stengels citroengras, gesneden

6 djeroek poeroetblaadjes

1 el tamarindepasta

25 g palmsuiker

450 g magere lamskoteletten

6 dl kokosmelk

175 g kerstomaatjes, gehalveerd

1 el verse koriander, gehakt

versgekookte geurige rijst

TIP VAN DE KOK

Verse koriander is heldergroen.
Om het te bewaren wast u de
koriander en droogt u de
blaadjes terwijl ze nog aan de
stengel zitten. Wikkel de blaadjes
in vochtig keukenpapier en
bewaar ze in een plastic zakje in
de koelkast.

1 Verwijder de zaadjes uit de pepers en hak ze vervolgens fijn.

2 Verhit de olie in een grote, voorverwarmde wok.

3 Roerbak hierin ongeveer 2 minuten knoflook, sjalotjes, citroengras, djeroek poeroetblaadjes, tamarindepasta, palmsuiker en pepers.

4 Snijd met een scherp mes het lamsvlees in dunne reepjes of blokjes. Doe het vlees in de wok en bak het ongeveer 5 minuten mee. Roer goed, zoadat het vlees rondom bedekt is met de andere ingrediënten.

5 Schenk vervolgens de kokosmelk in de wok en breng het geheel aan de kook. Temper dan het vuur en laat alles nog 20 minuten pruttelen.

6 Voeg tomaten en koriander toe en laat alles al roerend nog 5 minuten pruttelen. Schep het gerecht op de borden en serveer het heet met versgekookte geurige rijst.

lamsvlees met zwartebonensaus

voor 4 personen

450 g lamskoteletten of -bouten,
zonder bot

1 eiwit, luchtig geklopt

4 el maïzena

1 tl Chinees vijfkruidenpoeder

3 el zonnebloemolie

1 rode ui

3 paprika's: een rode, een groene
en een gele, zonder zaadjes en
gesneden

5 el zwartebonensaus

gekookte rijst of noedels

1 Snijd met een scherp mes het lamsvlees in heel dunne reepjes.

2 Vermeng eiwit, maïzena en Chinees vijfkruidenpoeder en schep het vlees hier goed doorheen.

3 Verhit de olie in een voorverwarmde wok en roerbak hierin het lamsvlees op hoog vuur in 5 minuten knapperig.

4 Snijd de rode ui in ringen. Roerbak de ui en paprikareepjes 5-6 minuten tot de groenten bijna zacht zijn.

5 Roer de zwartebonensaus door het mengsel en laat alles langzaam warm worden.

6 Schep het vlees met de saus op voorverwarmde borden en serveer het gerecht meteen met versgekookte rijst of noedels.

lamsvlees met uitjes en oestersaus

voor 4 personen

450 g lamskoteletten

1 tl Sichuan-peperkorrels, gemalen

1 el arachideolie

2 teentjes knoflook

8 lente-uitjes, gesneden

2 el donkere sojasaus

175 g Chinese kool

6 el oestersaus

kroepoek, naar keuze

TIP VAN DE KOK

Oestersaus wordt gemaakt van oesters die in pekel en sojasaus zijn gekookt. De saus wordt in flessen verkocht en is in de koelkast maanden houdbaar.

1 Ontdoe het vlees met een scherp mes van overtollig vet en snijd het vlees in dunne reepjes.

2 Strooi de gemalen peper over het vlees en zorg dat het rondom bedekt is.

3 Verhit de arachideolie in een voorverwarmde wok of grote, zware koekenpan.

4 Roerbak hierin het vlees gedurende 5 minuten.

5 Stamp intussen het knoflook in een vijzel fijn en snijd de uitjes. Roerbak knoflook, uitjes en sojasaus 2 minuten in de wok mee.

6 Scheur de Chinese kool in grove stukken en doe ze met de oestersaus in de wok. Bak ze 2 minuten mee tot de bladen slinken en het vocht borrelt.

7 Schep het lamsgerecht in voorverwarmde kommen en serveer het meteen met kroepoek.

lamsvlees met satésaus

voor 4 personen

450 g magere lamskoteletten

1 el milde currypasta

1,5 dl kokosmelk

2 teentjes knoflook, uitgeperst

¹/₂ tl chilipoeder

¹/₂ tl komijnpoeder

SATÉSAUS

1 el maïsolie

1 ui, gesneden

6 el pindakaas met stukjes

1 tl tomatenpuree

1 tl vers limoensap

1 dl water

TIP VAN DE KOK

Leg houten satépennen
30 minuten voor gebruik in
koud water om aanbranden
te voorkomen.

---

1 Snijd het lamsvlees in stukjes en leg deze in een grote schaal.

2 Meng currypasta, kokosmelk, knoflook, chili- en komijnpoeder in een kom. Giet dit mengsel goed door het vlees en laat het vlees dan, afgedekt, 30 minuten marineren.

3 Verhit voor de satésaus de olie in een grote wok en roerbak hierin 5 minuten de ui. Laat deze nog 5 minuten op laag vuur pruttelen.

4 Doe de pindakaas, de tomatenpuree, het limoensap en het water bij de ui.

5 Rijg het lamsvlees op houten pennen en bewaar de marinade.

6 Schuif de spiesen 6-8 minuten onder een hete grill. Draai ze eenmaal om.

7 Doe de resterende marinade ook in de wok en laat het geheel 5 minuten pruttelen. Dien de spiesen op met de satésaus.

lamsgehakt met sinaasappel

voor 4 personen

450 g lamsgehakt

2 teentjes knoflook, uitgeperst

1 tl komijnzaadjes

1 tl korianderpoeder

1 rode ui, gesneden

sap en geraspte schil van 1
   sinaasappel

2 el lichte sojasaus

1 sinaasappel, gepeld en in partjes

zout en peper

vers bieslook, geknipt

1 Verhit een wok of grote, zware
koekenpan zonder olie.

2 Bak hierin het lamsgehakt in
5 minuten rondom bruin.
Verwijder eventueel vet uit de pan.

3 Roerbak knoflook, komijn,
koriander en rode ui 5 minuten
mee.

4 Roer er de geraspte sinaasappelschil, het sap en de sojasaus door.
Doe een deksel op de pan, temper het
vuur en laat het geheel zachtjes, onder
regelmatig roeren, 15 minuten
sudderen.

5 Haal het deksel van de pan, zet
het vuur hoger en roer er de
partjes sinaasappel door.

6 Breng het gerecht op smaak met
zout en peper en laat het al
roerend nog 2-3 minuten goed
doorwarmen.

7 Schep het lamsgerecht op de
voorverwarmde borden en
garneer het met versgeknipt bieslook.
Serveer de maaltijd meteen.

lamslever met groene paprika en sherry

voor 4 personen

450 g lamslever

3 el maïzena

2 el arachideolie

1 ui, gesneden

2 teentjes knoflook, uitgeperst

2 groene paprika's, zonder zaadjes
en gesneden

2 el tomatenpuree

3 el droge sherry

2 el donkere sojasaus

4 Verhit de olie in een voorverwarmde wok.

5 Roerbak hierin de lamslever, de
ui, het knoflook en de groene
paprika's 6-7 minuten tot de lever net
gaar is en de groenten zacht zijn.

6 Vermeng de tomatenpuree, de
droge sherry, de resterende
maïzena en de sojasaus. Doe het
mengsel in de wok en roerbak het
2 minuten mee tot het vocht is
ingedikt. Verdeel het gerecht over de
voorverwarmde kommen en serveer
meteen.

1 Verwijder met een scherp mes
overtollig vet van de lever en
snijd het vlees in dunne reepjes.

2 Doe 2 eetlepels maïzena in een
kom.

3 Wentel de lamslever rondom door
de maïzena.

zoetzuur hertenvlees

voor 4 personen

bosje lente-uitjes

1 rode paprika

100 g peultjes

100g babymaïskolfjes

350 g magere hertenfilet

1 el plantaardige olie

1 teentje knoflook, uitgeperst

stukje verse gemberwortel van
    2,5 cm, fijngehakt

3 el lichte sojasaus, en wat extra
    voor op tafel

1 el wittewijnazijn

2 el droge sherry

2 el heldere honing

225 g ananasstukjes in eigen sap,
    uitgelekt

25 g taugé

gekookte rijst

1 Snijd de uitjes in stukjes van 2,5 centimeter. Halveer de paprika, verwijder de zaadjes en snijd hem in stukjes van 2,5 centimeter. Maak de peultjes en de maïs schoon.

2 Verwijder vet van de filet en snijd deze in dunne reepjes. Verhit de olie in een voorverwarmde wok en roerbak hierin het vlees, het knoflook en de gember gedurende 5 minuten.

3 Voeg uitjes, paprika, peultjes en maïs toe, vervolgens de sojasaus, azijn, sherry en de honing. Bak alles 5 minuten mee.

4 Warm voorzichtig de ananas en de taugé nog 1-2 minuten mee. Serveer het gerecht met versgekookte rijst en extra sojasaus.

VARIATIE

Kook voor een voedzaam eenpansgerecht 225 g eiernoedels 3-4 minuten in kokend water. Laat ze uitlekken en voeg ze toe in stap 4 met de ananas en de taugé. Voeg dan ook 2 extra eetlepels sojasaus toe.

Vis en schaaldieren

In Aziatische landen eet men veel vis en schaaldieren; dit voedsel is rijkelijk aanwezig en heel gezond. Bovendien kunt u het op veel manieren bereiden: in de wok kunt u de vis stomen, frituren of roerbakken in combinatie met tal van heerlijke kruiden en sauzen.

Japan staat bekend om zijn sushi of rauwe vis, maar dit is slechts één van de vele gerechten met vis. Vis en schaaldieren vindt u terug in elke Japanse maaltijd en dikwijls worden ze in de wok bereid.

De versheid van de vis is bepalend voor de smaak. Let daar dus goed op bij het kopen van vis en gebruik de vis zo snel mogelijk, bij voorkeur op dezelfde dag.

tonijn met groenten

voor 4 personen

225 g wortels

1 ui

175 g babymaïskolfjes

2 el maïsolie

175 g peultjes

450 g verse tonijn

2 el Thaise vissaus

1 el palmsuiker

sap en geraspte schil van 1
   sinaasappel

2 el sherry

1 tl maïzena

gekookte rijst of noedels

VARIATIE

Probeert u ook eens moten
zwaardvis in plaats van tonijn.
Zwaardvis is tegenwoordig
overal verkrijgbaar en heeft
dezelfde textuur als tonijn.

---

1 Snijd de wortels in luciferdunne reepjes en de ui in grove stukken. Halveer de maïskolfjes.

2 Verhit de maïsolie in een grote, voorverwarmde wok.

3 Roerbak hierin ui, wortels, peultjes en maïs gedurende 5 minuten.

4 Leg de tonijn kort in de diepvries om er vervolgens gemakkelijk dunne plakken van te snijden.

5 Roerbak de tonijn 2-3 minuten in de wok tot hij ondoorzichtig is.

6 Vermeng vissaus, palmsuiker, sinaasappelschil- en sap, sherry en maïzena in een kom.

7 Schenk het mengsel over de tonijn en de groenten en laat alles 2 minuten indikken. Serveer het gerecht met rijst of noedels.

zeeduivel met gember

voor 4 personen

450 g zeeduivelstaart

1 el verse gemberwortel, geraspt

2 el zoete chilisaus

1 el maïsolie

100 g groene asperges

3 lente-uitjes

1 tl sesamolie

1 Verwijder voorzichtig het grijze vlies van de vis. Snijd de vis aan weerszijden van de middenwervel in en verwijder de graat. Snijd het vlees in dunne schijven.

2 Meng de geraspte gember en de zoete chilisaus goed door elkaar en smeer met een kwastje de vis hiermee in.

3 Verhit de maïsolie in een grote, voorverwarmde wok.

4 Roerbak hierin zachtjes de vis, de asperges en de uitjes ongeveer 5 minuten. Zorg ervoor dat de vis niet uit elkaar valt.

5 Haal de pan van het vuur en sprenkel de sesamolie over het mengsel. Schep alles goed door elkaar.

6 Schep het gerecht op voorverwarmde borden en serveer de maaltijd meteen.

balti zeeduivel met okra

voor 4 personen

750 g zeeduivelfilet, in blokjes
van 3 cm

250 g okra

2 el zonnebloemolie

1 ui, gesneden

1 teentje knoflook, uitgeperst

stukje verse gemberwortel van
2,5 cm

1,5 dl kokosmelk of visbouillon

2 tl garam masala

MARINADE

3 el citroensap

geraspte schil van 1 citroen

$^1/_4$ tl anijszaadjes

$^1/_2$ tl zout

$^1/_2$ tl peper

TER GARNERING

4 schijfjes citroen

takjes verse koriander

2 Breng een pan met water aan de kook en kook hierin 4-5 minuten de okra. Laat daarna de groente uitlekken en snijd deze vervolgens in stukjes van 1 centimeter.

3 Verhit de olie in een voorverwarmde wok en fruit hierin de ui goudbruin. Roerbak het knoflook en de gember een minuutje mee en doe dan de vis met de marinade erbij. Roerbak het geheel nog 2 minuten.

1 Meng voor de marinade alle ingrediënten in een kom. Voeg de stukken vis toe en laat de vis 1 uur marineren.

4 Voeg de okra en de kokosmelk of visbouillon toe en laat alles 10 minuten pruttelen. Serveer het met schijfjes citroen en verse koriander.

gebakken vis met kokos en basilicum

voor 4 personen

2 el plantaardige olie

450 g kabeljauwfilet, zonder vel

25 g gekruide bloem

1 teentje knoflook, uitgeperst

2 el Thaise rode currypasta

1 el Thaise vissaus

3 dl kokosmelk

175 g kerstomaatjes, gehalveerd

20 verse blaadjes basilicum

versgekookte geurige rijst

TIP VAN DE KOK

Kook het gerecht niet te lang door wanneer de tomaten zijn toegevoegd. Anders vallen de tomaten uit elkaar en laten de velletjes los.

1 Verhit de plantaardige olie in een grote, voorverwarmde wok.

2 Snijd met een scherp mes de vis in grote dobbelstenen en verwijder de graatjes met een schoon pincet.

3 Doe de gekruide bloem in een kom en wentel hier de visblokjes door tot ze rondom zijn bedekt.

4 Roerbak de gepaneerde stukjes vis op hoog vuur 3-4 minuten tot ze aan de randen bruin worden.

5 Meng in een kom het knoflook, de currypasta, de vissaus en de kokosmelk. Schenk het mengsel over de vis en breng het geheel aan de kook.

6 Voeg de tomaten toe en laat alles 5 minuten pruttelen.

7 Hak of scheur het basilicum in grove stukjes en roer het voorzichtig door het vismengsel zonder dat de vis uit elkaar valt.

8 Verdeel het gerecht over de borden en dien het heet op met versgekookte geurige rijst.

kabeljauw met mango

voor 4 personen

175 g wortels

2 el plantaardige olie

1 rode ui, gesneden

1 rode paprika, zonder zaadjes en
gesneden

1 groene paprika, zonder zaadjes en
gesneden

450 g kabeljauwfilet, zonder vel

1 rijpe mango

1 tl maïzena

1 el lichte sojasaus

1 dl tropisch vruchtensap

1 el limoensap

1 el verse koriander, gehakt

1 Snijd met een scherp mes de wortels in luciferdunne reepjes.

2 Verhit de olie in een voorverwarmde wok en roerbak hierin ui, wortels en paprika 5 minuten.

3 Snijd de kabeljauw in kleine dobbelstenen. Schil de mango, haal voorzichtig het vruchtvlees van de pit en snijd dit in dunne plakjes.

4 Roerbak de kabeljauw en de mango 4-5 minuten mee tot de vis gaar is. Zorg dat de vis niet uit elkaar valt.

5 Meng maïzena, sojasaus, vruchten- en limoensap en schenk het in de wok. Blijf roeren tot het mengsel begint te borrelen en het vocht indikt. Strooi er koriander over en serveer de maaltijd meteen.

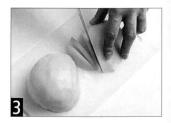

gesmoorde visfilets

voor 4 personen

3-4 kleine Chinese gedroogde
   paddestoelen

300-350 g visfilets

1 tl zout

$^1\!/_2$ eiwit, luchtig geklopt

1 tl maïzena

6 dl plantaardige olie

1 tl verse gemberwortel, fijngehakt

2 lente-uitjes, fijngehakt

1 teentje knoflook, fijngehakt

$^1\!/_2$ kleine groene paprika, zonder
   zaadjes en fijngesneden

$^1\!/_2$ kleine wortel, fijngesneden

60 g bamboespruiten uit blik,
   afgespoeld en gesneden

$^1\!/_2$ tl suiker

1 el lichte sojasaus

1 tl rijstwijn of droge sherry

1 el pikante bonensaus

2-3 el groentebouillon of water

enkele druppels sesamolie

1 Week de gedroogde paddestoelen 30 minuten in een kom warm
water. Laat ze uitlekken op keukenpapier en bewaar het weekvocht voor
bouillon of soep. Knijp al het vocht uit
de paddestoelen, verwijder harde
steeltjes en snijd ze in dunne plakjes.

2 Snijd de vis in hanteerbare stukjes
en leg ze in een diepe schaal.
Meng ze met een snufje zout, het eiwit
en de maïzena en zorg ervoor dat de
visstukjes rondom zijn bedekt.

3 Verhit de olie in een voorverwarmde wok en frituur hierin de
vis ongeveer 1 minuut. Schep de
stukjes vis er met een schuimspaan uit
en laat ze uitlekken op keukenpapier.

4 Schud zoveel mogelijk olie van de
vis en laat ongeveer 1 eetlepel
olie in de wok achter. Bak de gember,
de uitjes en het knoflook een paar seconden om de olie te kruiden en roerbak dan de groene paprika, de wortels
en de bamboespruiten 1 minuut.

5 Voeg suiker, sojasaus, wijn,
bonensaus, bouillon of water, en
het resterende zout toe en breng alles
aan de kook. Voeg de stukjes vis toe
en smoor alles 1 minuut. Besprenkel
met sesamolie en serveer direct.

rivierkreeften met kokos

voor 4 personen

50 g kokos, gemalen

25 g vers wit broodkruim

1 tl Chinees vijfkruidenpoeder

½ tl zout

geraspte schil van 1 limoen

1 eiwit

450 g rauwe rivierkreeften

zonnebloem- of maïsolie

schijfjes citroen, ter garnering

soja- of chilisaus

TIP VAN DE KOK

Ingevroren rivierkreeften moeten
voor gebruik goed worden
ontdooid. Rauwe rivierkreeften
zijn beter voor dit gerecht, maar
eventueel kunt u ze gekookt
kopen en ze zelf pellen.

1 Meng de gemalen kokos met het broodkruim, het vijfkruidenpoeder, het zout en de limoenschil.

2 Spatel het eiwit in een andere kom los.

3 Spoel de rivierkreeften met koud water en dep ze droog met keukenpapier.

4 Doop de rivierkreeften in het eiwit en daarna in het kokosmengsel tot ze rondom zijn bedekt.

5 Verhit ongeveer 5 centimeter olie in een grote, voorverwarmde wok.

6 Roerbak hierin de rivierkreeften in ongeveer 5 minuten goudbruin en krokant.

7 Schep de rivierkreeften met een schuimspaan uit de olie en laat ze uitlekken op keukenpapier.

8 Doe de rivierkreeften op voorverwarmde borden, garneer ze met schijfjes citroen en serveer ze direct met soja- of chilisaus.

garnalenomelet

voor 4 personen

2 el zonnebloemolie

4 lente-uitjes

350 g garnalen, gekookt

100 g taugé

1 tl maïzena

1 el lichte sojasaus

6 eieren

3 el water

1 Verhit de olie in een grote, voorverwarmde wok.

2 Maak de uitjes schoon en snijd ze met een scherp mes in stukjes.

3 Roerbak de gekookte en gepelde garnalen samen met de uitjes en taugé 2 minuten in de wok.

4 Doe de maïzena en sojasaus in een kom en meng ze goed door elkaar.

5 Kluts de eieren in een aparte kom met een vork los met het water en meng dit vervolgens met het maïzenamengsel.

6 Doe dit eimengsel ook in de wok en bak in 5-6 minuten de omelet.

7 Leg de omelet op een voorverwarmde schaal, snijd hem in vieren en dien hem op.

steurgarnalen met kruidige tomaten

voor 4 personen

2 el maïsolie

1 ui

2 teentjes knoflook, uitgeperst

1 tl komijnzaadjes

1 el bruine rietsuiker

400 g tomatenstukjes uit blik

1 el zongedroogde tomatenpuree

1 el vers basilicum, gehakt

450 g rauwe steurgarnalen, gepeld

zout en peper

TIP VAN DE KOK

Kerf met een scherp mes elke garnaal over de rug in en verwijder met de mespunt het zwarte darmkanaal.

1 Verhit de maïsolie in een grote, voorverwarmde wok.

2 Hak de ui met een scherp mes fijn.

3 Doe de ui en het knoflook in de wok en bak ze in 2-3 minuten zacht.

4 Bak de komijnzaadjes 1 minuut mee.

5 Voeg de suiker, stukjes tomaat en tomatenpuree toe en breng het mengsel aan de kook. Temper het vuur en laat het geheel 10 minuten pruttelen.

6 Voeg basilicum, steurgarnalen, zout en peper toe en zet het vuur hoger. Bak alles 2-3 minuten tot de garnalen helemaal gaar zijn. Serveer de maaltijd meteen.

pikante thaise schaaldierenschotel

voor 4 personen

200 g schoongemaakte pijlinktvis

500 g witvisfilet, bij voorkeur
zeeduivel of heilbot

1 el zonnebloemolie

4 sjalotjes, fijngehakt

2 teentjes knoflook, fijngehakt

2 el Thaise groene currypasta

2 kleine stengels citroengras,
fijngehakt

1 tl garnalenpasta

5 dl kokosmelk

200 g rauwe scampi's, gepeld

12 levende strandgapers, schoongemaakt

8 verse blaadjes basilicum,
gescheurd, en wat extra ter
garnering

TIP VAN DE KOK

U kunt de strandgapers in stap 4
vervangen door verse mosselen
in de schelp.

1 Snijd de inktvis in dikke ringen en
de visfilet in middelgrote blokjes.

2 Verhit de olie in een voorverwarmde wok en roerbak hierin de
sjalotjes, het knoflook en de currypasta
1-2 minuten. Voeg het citroengras en
de garnalenpasta toe en roer de
kokosmelk erbij. Breng alles aan de
kook.

3 Zet het vuur laag. Doe de witvis,
de inktvisringen en de scampi's in
de wok, roer het goed door en laat het
geheel 2 minuten pruttelen.

4 Voeg de strandgapers toe en laat
ze een minuutje meekoken tot ze
open zijn. Schep de dichte schelpen uit
de wok en gooi ze weg.

5 Bestrooi het gerecht met
basilicum en serveer het meteen
op een bedje van gekookte rijst,
gegarneerd met hele blaadjes
basilicum.

groenten met garnalen en ei

voor 4 personen

225 g courgettes

3 el plantaardige olie

2 eieren

2 el water

225 g wortels, geraspt

1 ui, gesneden

150 g taugé

225 g garnalen, gekookt en gepeld

2 el lichte sojasaus

snufje Chinees vijfkruidenpoeder

25 g pinda's, fijngehakt

2 el verse koriander, gehakt

1 Rasp de courgettes fijn met de hand of in een keukenmachine.

2 Verhit 1 eetlepel olie in een voorverwarmde wok.

3 Klop de eieren los met het water en schenk het mengsel in de wok. Bak in 2 minuten de omelet.

4 Schep de omelet op een bord en vouw de omelet dan dubbel. Snijd hem in dunne reepjes en bewaar deze tot gebruik.

5 Doe de resterende olie in de wok en roerbak hierin in 5 minuten de wortels, uien en courgettes.

6 Voeg de taugé en garnalen toe en bak ze 2 minuten mee tot de garnalen goed warm zijn.

7 Voeg de sojasaus, het vijfkruiden-poeder en de pinda's toe, evenals de reepjes omelet. Verwarm het gerecht goed op een hoog vuur. Garneer het met verse koriander en serveer het meteen.

steurgarnalen met krokante gember

voor 4 personen

stukje verse gemberwortel van 5 cm

arachideolie, om te bakken

1 ui, gesneden

225 g wortels, gesneden

100 g diepvriesdoperwten

100 g taugé

450 g rauwe steurgarnalen, gepeld

1 tl Chinees vijfkruidenpoeder

1 el tomatenpuree

1 el lichte sojasaus

1 Schil de gember met een scherp mes en snijd hem in zeer dunne reepjes.

2 Verhit in een voorverwarmde wok ongeveer 2,5 cm olie en roerbak hierin in 1 minuut de gember knapperig. Haal de reepjes gember uit de pan en laat ze uitlekken op keukenpapier.

3 Giet alle olie, op 2 eetlepels na, uit de pan. Roerbak hierin de ui en wortel 5 minuten. Voeg de doperwtjes en taugé toe en bak deze nog 2 minuten mee.

4 Spoel de steurgarnalen af met koud water en dep ze droog met keukenpapier.

5 Meng het vijfkruidenpoeder, de tomatenpuree en de sojasaus in een kom en bestrijk de garnalen met dit mengsel.

6 Roerbak de steurgarnalen in 2 minuten gaar. Schep het garnalenmengsel in voorverwarmde kommen en bestrooi het gerecht met de bewaarde krokante gember. Serveer het meteen.

131

pikante krabscharen

voor 4 personen

700 g krabscharen

1 el maïsolie

2 teentjes knoflook, uitgeperst

1 el verse gemberwortel, geraspt

3 verse rode chilipepertjes, zonder
zaadjes en fijngehakt

2 el zoete chilisaus

3 el tomatenketchup

3 dl visbouillon

1 el maïzena

zout en peper

1 el vers bieslook, geknipt

TIP VAN DE KOK

Kunt u moeilijk aan krabscharen
komen, neem dan een hele krab
en snijd hem in acht stukken.

1 Kraak de scharen voorzichtig
met een notenkraker zodat de
aroma's beter in het krabvlees
kunnen doordringen.

2 Verhit de maïsolie in een grote,
voorverwarmde wok.

3 Roerbak hierin de krabscharen
ongeveer 5 minuten.

4 Roerbak het knoflook, de gember
en de chilipepers een minuut mee
en schep alles goed door elkaar.

5 Meng de chilisaus, tomatenketchup, visbouillon en maïzena
door elkaar en doe dit mengsel in de
wok. Roerbak het geheel tot de saus
begint in te dikken.

6 Breng het gerecht op smaak met
zout en peper.

7 Schep de krab met de chilisaus op
voorverwarmde borden, garneer
ze met vers bieslook en serveer de
maaltijd meteen.

rijst met krab en mosselen

voor 4 personen

300 g langkorrelige rijst

175 g wit krabvlees, vers, uit blik of

uit de diepvries (ontdooid) of

8 krabsticks (ontdooid)

2 el zonnebloemolie

stukje verse gemberwortel van

2,5 cm, geraspt

4 lente-uitjes, in schuine stukjes

gesneden

125 g peultjes, in 2-3 stukken

gesneden

$\frac{1}{2}$ tl koenjitpoeder

1 tl komijnpoeder

400 g afgespoelde verse mosselen,

uitgelekt of 350 g ontdooide

diepvriesmosselen

425 g taugé uit blik, afgespoeld en

uitgelekt

zout en peper

2 Pluk bij verse krab het krabvlees uit de schaal of snijd de krabsticks in drie of vier stukken.

3 Verhit de olie in een voorver-warmde wok en roerbak daarin 1-2 minuten de gember en de uitjes. Bak de peultjes een minuutje mee. Strooi koenjit, komijn, zout en peper over de groenten en meng alles goed.

4 Bak het krabvlees en de mossels een minuutje mee. Roer er dan de rijst en taugé goed door en laat het geheel 2 minuten doorwarmen.

5 Voeg zo nodig zout en peper toe. Serveer het gerecht meteen.

1 Kook de rijst in een grote pan met wat water in 12-15 minuten gaar. Laat de rijst uitlekken, spoel hem met vers water en laat hem opnieuw uitlekken.

krabcurry

voor 4 personen

2 el mosterdolie

1 el geklaarde boter

1 ui, fijngehakt

stukje gemberwortel van 5 cm,
   geraspt

2 hele teentjes knoflook, gepeld

1 tl koenjitpoeder

1 tl zout

1 tl chilipoeder

2 verse groene chilipepertjes,
   gehakt

1 tl paprikapoeder

125 g bruin krabvlees

350 g wit krabvlees

2,5 dl yoghurt

1 tl garam masala

basmatirijst, gekookt

verse koriander

1 Verhit de mosterdolie in een voorverwarmde wok of grote, zware koekenpan.

2 Wacht tot de olie licht begint te walmen en voeg dan de geklaarde boter en uitjes toe. Fruit de uitjes in 3 minuten op matig vuur glazig.

3 Roer er de geraspte gember en hele teentjes knoflook door.

4 Roer er koenjit, zout, chilipoeder, pepertjes en paprikapoeder door.

5 Zet het vuur hoger en voeg de krab en yoghurt toe. Laat het mengsel 10 minuten prutteln tot de saus iets is ingedikt.

6 Voeg vervolgens de garam masala toe.

7 Schep het hete mengsel op de gekookte rijst en garneer het geheel met takjes of gehakte koriander.

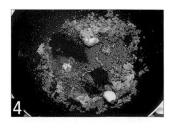

gebakken rijst met krab

voor 4 personen

150 g langkorrelige rijst

2 el arachideolie

125 g wit krabvlees uit blik, uitgelekt

1 prei, gesneden

150 g taugé

2 eieren, losgeklopt

1 el lichte sojasaus

2 tl limoensap

1 tl sesamolie

zout

schijfjes limoen, ter garnering

VARIATIE
Voor een speciale gelegenheid kunt u gekookte kreeft in plaats van krab nemen.

1 Kook de rijst 15 minuten in een pan water met wat zout. Laat de rijst uitlekken, spoel hem dan met koud water en laat hem weer uitlekken.

2 Verhit de olie in een voorverwarmde wok op hoog vuur.

3 Roerbak hierin de krab, prei en taugé 2-3 minuten. Haal het mengsel met een schuimspaan uit de pan.

4 Roer de eieren 2-3 minuten in de wok tot ze beginnen te stollen.

5 Roer de rijst en het krabmengsel door de eieren in de wok.

6 Doe de sojasaus en het limoensap bij het mengsel in de wok. Roer alles 1 minuut goed door en doe er ten slotte de sesamolie bij.

7 Schep het rijstgerecht op een schaal en garneer het met de schijfjes limoen. Serveer het meteen.

gebakken krab met gember

voor 4 personen

1 grote of 2 middelgrote krabben
  (totaal 750 g)
2 el Chinese rijstwijn of droge sherry
1 ei, losgeklopt
1 el maïzena
3-4 el plantaardige olie
1 el verse gemberwortel, fijngehakt
3-4 lente-uitjes, in kleine stukjes
2 el lichte sojasaus
1 tl suiker
5 el visbouillon of water
½ tl sesamolie
verse blaadjes koriander, ter
  garnering

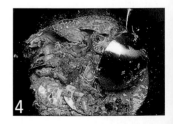

3 Meng de wijn of sherry met het ei en de maïzena. Giet het mengsel over het krabvlees en laat het 10-15 minuten marineren.

1 Snijd de krab aan de buikzijde open. Breek de scharen af en kraak ze met de achterkant van een hakmes of groot keukenmes open.

2 Verwijder de poten en breek de schaal in stukjes. Gooi de zachte kieuwen aan weerszijden van het lichaam en de maag weg. Leg het krabvlees in een kom.

4 Verhit de olie in een voorverwarmde wok. Roerbak hierin 2-3 minuten de krab met de gehakte gember en de uitjes.

5 Meng er de sojasaus, suiker, bouillon of water door en breng dit aan de kook. Laat het afgedekt 3-4 minuten koken, verwijder de deksel en besprenkel met sesamolie. Serveer direct, gegarneerd met koriander.

chinese kool met paddestoelen en krab

voor 4 personen

225 g shii-takes

2 el plantaardige olie

2 teentjes knoflook, uitgeperst

6 lente-uitjes, gesneden

1 Chinese kool, in stukjes

1 el milde currypasta

6 el kokosmelk

200 g wit krabvlees uit blik,
    uitgelekt

1 tl chilivlokken

1 Snijd met een scherp mes de
paddestoelen in plakjes.

2 Verhit de olie in een grote,
voorverwarmde wok of zware
koekenpan.

3 Fruit hierin de shii-takes en het
knoflook 3 minuten tot de
paddestoelen zacht zijn.

4 Roerbak de uitjes en de kool mee
tot de blaadjes kool beginnen te
slinken.

5 Vermeng in een kleine kom de
currypasta en de kokosmelk.

6 Doe dit mengsel, de krab en de
chilivlokken ook in de wok en roer
alles goed door elkaar.

7 Verhit het geheel tot het vocht
begint te borrelen.

8 Schep het gerecht in voorverwarmde kommen en serveer het
meteen.

mosselen in zwartebonensaus met spinazie

voor 4 personen

350 g prei

350 g mosselen, gekookt

1 tl komijnzaadjes

2 el plantaardige olie

2 teentjes knoflook, uitgeperst

1 rode paprika, zonder zaadjes en
gesneden

50 g bamboespruiten uit blik,
afgespoeld en uitgelekt

175 g verse, jonge blaadjes spinazie

160 g zwartebonensaus

TIP VAN DE KOK

Als u de mosselen niet vers
kunt krijgen, kunt u ze bij de
meeste supermarkten in blik of
ingevroren kopen.

1 Maak de prei schoon en snijd de groente in dunne reepjes.

2 Doe de mosselen in een grote kom, strooi er de komijnzaadjes over en schep alles goed door elkaar. Zet het weg tot gebruik.

3 Verhit de olie in een voorverwarmde wok en draai de wok rond tot de olie echt heet is.

4 Roerbak hierin de prei, het knoflook en de rode paprika in 5 minuten zacht.

5 Bak de bamboespruiten, spinazie en mosselen ongeveer 2 minuten mee.

6 Schenk er de zwartebonensaus over en laat het mengsel al roerend nog even pruttelen.

7 Schep het gerecht op voorverwarmde borden en serveer het meteen.

schelpdierpannenkoekjes

voor 4 personen

100 g haricots verts

1 vers rood chilipepertje

450 g st.-jakobsschelpen

1 ei

3 lente-uitjes, gesneden

50 g rijstbloem

1 el Thaise vissaus

olie, om te bakken

zout

zoete chilisaus

1 Maak de boontjes schoon en snijd ze in heel dunne stukjes.

2 Haal de zaadjes uit het rode pepertje en snijd het heel fijn.

3 Breng in een kleine pan water met een beetje zout aan de kook. Kook hierin de boontjes in 3-4 minuten net zacht.

4 Ontdoe de schelpdiertjes van kuit, snijd ze in grove stukken en leg ze in een kom. Voeg de boontjes toe.

5 Meng het ei met de uitjes, rijstbloem, vissaus en chilipeper. Voeg dit toe aan de st.-jakobsschelpen en roer alles goed.

6 Verhit 2,5 centimeter olie in een grote, voorverwarmde wok. Doe één lepel van het mengsel in de wok en bak daarvan op een matig vuur in 5 minuten een pannenkoekje.

7 Haal het pannenkoekje uit de wok en laat het uitlekken op keukenpapier. Houd de pannenkoekjes warm terwijl u de rest bakt. Serveer ze warm met zoete chilisaus.

gebakken st.-jakobsschelpen met botersaus

voor 4 personen

750 g verse st.-jakobsschelpen,
   zonder kuit of 750 g ontdooide
   uit de diepvries

6 lente-uitjes

2 el plantaardige olie

1 vers groen chilipepertje, zonder
   zaadjes en gesneden

3 el zoete sojasaus

2 el boter, in stukjes

TIP VAN DE KOK

Wrik verse st.-jakobsschelpen
open met een mes en snijd het
vlies tussen de schelphelften
door. Verwijder de maagzak en
het darmkanaal.

1 Spoel de schelpdiertjes goed af met koud water, laat ze uitlekken en dep ze droog met keukenpapier.

2 Snijd voorzichtig elk schelpdiertje horizontaal doormidden.

3 Maak de uitjes met een scherp mes schoon en snijd ze in stukken.

4 Verhit de olie in een grote, voorverwarmde wok, draai de pan rond om de olie goed te verdelen.

5 Roerbak op hoog vuur de groene chilipeper, uitjes en st.-jakobsschelpen 4-5 minuten tot de schelpdiertjes net gaar zijn. Kook st.-jakobsschelpen uit de diepvries niet te langt, omdat ze dan uit elkaar vallen.

6 Voeg sojasaus en boter toe en verwarm het mengsel tot de boter smelt.

7 Schep het gerecht in voorverwarmde kommen en serveer het heet.

143

balti st.-jakobsschelpen

voor 4 personen

750 g st.-jakobsschelpen

2 el zonnebloemolie

2 uien, gehakt

3 tomaten, in vieren

2 verse groene chilipepertjes

4 schijfjes limoen, ter garnering

MARINADE

3 el verse koriander, gehakt

stukje verse gemberwortel van 2,5
   cm, geraspt

1 tl korianderpoeder

3 el limoensap

geraspte schil van 1 limoen

$1/4$ tl peper

$1/2$ tl zout

$1/2$ tl komijnpoeder

1 teentje knoflook, uitgeperst

TIP VAN DE KOK

St.-jakobsschelpen zijn vers, in
de schaal met kuit, het lekkerst.
U hebt dan 1,5 kg nodig. De
visboer kan ze voor u schoonma-
ken en de schelpen verwijderen.

1 Meng alle ingrediënten voor de marinade in een kom.

2 Doe de schelpdiertjes in een kom en roer er de marinade door. Zorg dat alle schelpdiertjes goed bedekt zijn.

3 Dek de kom af met huishoudfolie en laat de st.-jakobsschelpen 1 uur of een hele nacht marineren in de koelkast.

4 Verhit de olie in een voorver-warmde wok en fruit hierin de uien in 5 minuten glazig.

5 Roerbak de tomaten en de gesne-den chilipepers 1 minuut mee.

6 Bak vervolgens de st.-jakobs-schelpen 6-8 minuten mee tot ze gaar maar wel nog sappig en zacht zijn.

7 Serveer meteen en garneer met schijfjes limoen.

inktvis met zwartebonensaus

voor 4 personen

750 g pijlinktvis, schoongemaakt

1 grote rode paprika, zonder zaadjes

85 g peultjes

1 krop paksoi

3 el zwartebonensaus

1 el Thaise vissaus

1 el Chinese rijstwijn

1 el donkere sojasaus

1 tl lichtbruine basterdsuiker

1 tl maïzena

1 el water

1 el zonnebloemolie

1 tl sesamolie

1 vers groen pili-pilipepertje, gehakt

1 teentje knoflook, fijngehakt

1 tl verse gemberwortel, geraspt

2 lente-uitjes, gehakt

1 Snijd de tentakels van de inktvis en gooi ze weg. Snijd het lichaam over de lengte in vieren. Gebruik de punt van een scherp mesje om een ruiten patroon in het vlees te kerven, zonder het echt door te snijden. Dep de inktvis droog met keukenpapier.

2 Snijd de paprika in dunne repen en de peultjes schuin doormidden. Scheur de paksoi in grove stukjes.

3 Meng de zwartebonensaus, vissaus, rijstwijn, sojasaus en suiker door elkaar. Meng de maïzena met het water aan en roer dit mengsel door de andere sausingrediënten.

4 Verhit de zonnebloemolie in een voorverwarmde wok. Roerbak hierin chilipeper, knoflook, gember en uitjes 1 minuut. Bak de paprika ongeveer 2 minuten mee.

5 Bak de inktvis op hoog vuur 1 minuut mee en daarna de peultjes en de paksoi nog een minuutje tot de paksoi slinkt.

6 Roer de sausingrediënten erdoor en laat het 2 minuten koken tot de saus helder en dik wordt. Serveer direct.

pikante st.-jakobsschelpen met limoen

voor 4 personen

16 grote st.-jakobsschelpen

1 el boter

1 el plantaardige olie

1 tl knoflook, uitgeperst

1 tl verse gemberwortel, geraspt

1 bosje lente-uitjes, fijngesneden

geraspte schil van 1 limoen

1 klein vers rood chilipepertje,
    zonder zaadjes en heel fijn-
    gehakt

3 el limoensap

OM TE SERVEREN

schijfjes limoen

versgekookte rijst

1 Maak de st.-jakobsschelpen schoon, was ze en dep ze droog. Verwijder het koraal en snijd elk wit stuk horizontaal doormidden in 2 ronde stukjes.

TIP VAN DE KOK

Bij gebrek aan verse st.-jakobs-schelpen kunt u ingevroren schelpen nemen. Zorg wel dat ze goed ontdooid zijn voor gebruik.

2 Verhit de boter en olie in een wok. Roerbak hierin 1 minuut het knoflook en de gember aan, maar niet bruin. Bak de uitjes 1 minuut mee.

3 Roerbak op hoog vuur de schelpdiertjes 4-5 minuten mee. Roer er de limoenschil, de chilipeper en het limoensap door en kook alles nog een minuutje door.

4 Serveer de st.-jakobsschelpen heet, sprenkel er het vocht over en garneer ze met schijfjes limoen en gekookte rijst.

krokante inktvis met zout en peper

voor 4 personen

450 g pijlinktvis

4 el maïzena

1 tl zout

1 tl peper

1 tl chilivlokken

arachideolie, om te bakken

dipsaus, voor erbij

TIP VAN DE KOK

Maak een dipsaus door 1
eetlepel lichte en 1 eetlepel
donkere sojasaus, 2 eetlepels
sesamolie, 2 fijngehakte verse
groene chilipepertjes, 2 fijngehakte lente-uitjes, 1 uitgeperst
teentje knoflook en 1 eetlepel
geraspte verse gemberwortel te
vermengen.

1 Verwijder de tentakels van de
inktvis en maak de vis schoon.
Snijd de lichamen aan de onderkant in
en open om een plat stuk vis te krijgen.

2 Kerf de platte visstukjes kruiselings in en snijd elk stuk in vieren.

3 Vermeng maïzena, zout, peper en
chilivlokken.

4 Doe het meelmengsel in een
grote plastic zak. Doe hierin de
visstukjes en schud de zak goed zodat
alle vis met meel is bedekt.

5 Verhit een laagje arachideolie van
ongeveer 5 centimeter in een
grote, voorverwarmde wok.

6 Roerbak hierin de inktvis, in
porties, 2 minuten tot de vis
begint te krullen. Doe het niet te lang,
want dan wordt de vis taai.

7 Schep de stukjes inktvis met een
schuimspaan op keukenpapier en
laat ze uitlekken.

8 Verdeel de gebakken inktvis over
de borden en serveer het gerecht
met de dipsaus.

gebakken zeebaars met soja en gember

voor 6 personen

6 gedroogde Chinese paddestoelen

3 el rijstazijn

2 el lichtbruine basterdsuiker

3 el donkere sojasaus

stukje verse gemberwortel van
  7,5 cm, fijngehakt

4 lente-uitjes, schuin gesneden

2 tl maïzena

2 el limoensap

1 zeebaars van ongeveer 1 kg,
  schoongemaakt

4 el patentbloem

zonnebloemolie, om te frituren

zout en peper

1 hele radijs

OM TE SERVEREN

Chinese kool, gesneden

plakjes radijs

1 Week de paddestoelen 10 minuten in heet water, laat ze goed
uitlekken en bewaar 1 dl vocht. Snijd
de paddestoelen in dunne plakjes.

2 Meng het paddestoelenvocht met
de rijstazijn, suiker en sojasaus.
Breng dit in een pan met de paddestoelen aan de kook. Temper het vuur
en laat het 3-4 minuten pruttelen.

3 Kook de gember en uitjes
1 minuut mee. Vermeng de
maïzena met het limoensap en roer dit
mengsel 1-2 minuten mee tot de saus
indikt. Dek de saus af en bewaar hem
terwijl u de vis bereidt.

4 Bestrooi de zeebaars aan de
binnen- en buitenkant rijkelijk met
zout en peper, haal de vis door de
bloem en schud overtollige bloem eraf.

5 Verhit een laagje olie van 2,5
centimeter in een wok op 190 °C
of tot een stukje brood in 30 seconden
bruin wordt. Leg voorzichtig de vis in
de olie en frituur hem in ongeveer 3-4
minuten aan één kant goudbruin. Draai
de vis voorzichtig met twee metalen
tangen om en frituur de andere kant
ook in 3-4 minuten goudbruin.

6 Schep de vis uit de wok, laat hem
uitlekken en leg hem op een
schaal. Breng de saus bijna aan de
kook en lepel hem over de vis. Serveer
het gerecht meteen, gegarneerd met
de ingesneden hele radijs, koolblade-
ren langs de rand en plakjes radijs.

gebakken oesters

voor 4 personen

225 g prei

350 g tofu (uitlekgewicht)

2 el zonnebloemolie

350 verse oesters in de schelp

2 el vers citroensap

1 tl maïzena

2 el lichte sojasaus

1 dl visbouillon

2 el verse koriander, gehakt

1 tl limoenschil, fijngeraspt

VARIATIE

Naar keuze kunt u in plaats van oesters verse strandgapers of mosselen in de schelp gebruiken.

---

1 Was de prei goed en snijd de groente in dunne reepjes.

2 Snijd met een scherp mes de tofu in hanteerbare blokjes.

3 Verhit de zonnebloemolie in een grote, voorverwarmde wok en roerbak hierin de prei ongeveer 2 minuten.

4 Voeg de tofu en de oesters toe en bak ze 1-2 minuten mee.

5 Vermeng limoensap, maïzena, sojasaus en visbouillon in een kleine kom tot een gladde saus.

6 Giet dit mengsel in de wok en laat het al roerend op een matig vuur indikken.

7 Schep het gerecht in aparte kommen en strooi er de koriander en limoenschil over. Serveer meteen.

chow mein met schelpdieren

voor 4 personen

85 g pijlinktvis, schoongemaakt

3-4 verse st.-jakobsschelpen

85 g rauwe garnalen, gepeld

½ eiwit, luchtig geklopt

2 tl maïzena, met 2½ tl water tot
    pasta vermengd

275 g eiernoedels

5-6 el plantaardige olie

2 el lichte sojasaus

55 g peultjes

½ tl zout

½ tl suiker

1 tl Chinese rijstwijn

2 lente-uitjes, fijngesneden

enkele druppels sesamolie

1 Maak de inktvis open en kerf hem
vanbinnen kruiselings in. Snijd
vervolgens het visvlees in kleine
stukjes (formaat postzegel). Dompel de
inktvis onder in een kom kokend water
tot alle stukjes opkrullen. Spoel ze af
met koud water en laat ze dan
uitlekken.

2 Snijd elke st.-jakobsschelp in 3-4
plakjes. Halveer de grote garnalen
in de lengte. Vermeng de st.-jakobs-
schelpen en garnalen met het eiwit en
het maïzenapapje.

3 Kook de noedels in kokend water
volgens de aanwijzingen op het
pak, laat ze uitlekken en spoel ze met
koud water. Laat ze goed uitlekken en
roer er daarna 1 eetlepel olie doorheen.

4 Verhit 3 eetlepels olie in een
voorverwarmde wok. Roerbak
hierin de noedels en 1 eetlepel
sojasaus gedurende 2-3 minuten.
Schep de noedels op een grote schaal.

5 Verhit de rest van de olie in de
wok en roerbak hierin de peultjes
en de schelpdieren ongeveer 2 minuten. Voeg dan zout, suiker, rijstwijn, de
resterende sojasaus en ongeveer de
helft van de uitjes toe. Meng alles
goed en doe er zo nodig wat bouillon
of water bij. Schep dit mengsel op de
noedels en sprenkel er sesamolie
overheen. Garneer het gerecht met de
overgebleven uitjes en serveer het
meteen.

geroerbakte schelpdieren

voor 4 personen

100 g dunne groene asperges, schoongemaakt

1 el zonnebloemolie

stukje verse gemberwortel van 2,5 cm, in dunne reepjes

1 prei, gesneden

2 wortels, in luciferdunne reepjes

100 g babymaïskolfjes, in de lengte in vieren

2 el lichte sojasaus

1 el oestersaus

1 tl heldere honing

450 g gekookte schelpdieren, gemengd (bij diepvries ontdooid)

verse eiernoedels, gekookt

TER GARNERING

4 grote garnalen, gekookt

kleine bosje vers bieslook, geknipt

1 Breng in een kleine pan wat water aan de kook en blancheer hierin de asperges 1-2 minuten. Laat de asperges goed uitlekken en houd ze warm.

2 Verhit de olie in een wok en roerbak hierin gember, prei, wortels en maïs ongeveer 3 minuten. Pas op voor verbranden van de groenten. Voeg sojasaus, oestersaus en honing toe.

3 Voeg de gekookte schelpdieren toe en bak alles nog 2-3 minuten tot de groenten net gaar en de schelpdieren goed warm zijn. Roerbak dan de asperges 2-3 minuten mee.

4 Schep de noedels op vier voorverwarmde borden en leg daarop de geroerbakte schelpdieren en groenten.

5 Garneer met de gekookte garnalen en het geknipte bieslook en serveer het gerecht meteen.

kruidige balti-schelpdieren

voor 4 personen

1 teentje knoflook, uitgeperst

2 tl verse gemberwortel, geraspt

2 tl korianderpoeder

2 tl komijnpoeder

$^1\!/_2$ tl kardemompoeder

$^1\!/_4$ tl chilipoeder

2 el tomatenpuree

5 el water

3 el verse koriander, gehakt

500 g steurgarnalen, gekookt en
   gepeld

2 el olie

2 kleine uien, gesneden

1 vers groen chilipepertje, gehakt

zout

1 Doe knoflook, gember, koriander, komijn, kardemom, chili, tomatenpuree, 4 eetlepels water en 2 eetlepels koriander in een kom en roer alle ingrediënten goed door elkaar.

2 Voeg de steurgarnalen toe, dek de kom af met huishoudfolie en laat de garnalen 2 uur marineren.

3 Verhit de olie in een voorverwarmde wok en fruit hierin de uien op een matig vuur goudbruin.

4 Bak vervolgens de steurgarnalen met de marinade en het pepertje 5 minuten mee. Breng het gerecht op smaak met zout en voeg de laatste lepel water toe als het mengsel erg droog is. Roerbak alles nog 5 minuten op matig vuur door.

5 Serveer de steurgarnalen meteen en garneer met de verse koriander.

TIP VAN DE KOK

Garnalen behouden hun smaak beter als ze in een hermetisch afgedekte pan en zonder water op hoog vuur in hun eigen vocht aan de kook worden gebracht.

Vegetarische gerechten

Groenten zijn heel belangrijk in Aziatische wokgerechten en vormen dan ook een uitgebreid onderdeel van elke maaltijd. De hiernavolgende gerechten laten zien dat een smaakvolle maaltijd niet altijd vis of vlees hoeft te bevatten. Babymaïs, Chinese kool en sperziebonen, jonge blaadjes spinazie en paksoi geven een bijzondere smaak en frisheid aan een geroerbakt gerecht.

Aziaten houden van knapperige groenten. De meeste gerechten in dit hoofdstuk zijn dan ook snel klaar, wat de geur en textuur van de ingrediënten ten goede komt. Koop altijd stevige, knapperige groenten en bereid ze zo snel mogelijk. Let er ook op dat u de groenten pas kort voor gebruik wast en ze zo snel mogelijk, nadat u ze hebt gesneden, kookt, om de vitaminen niet verloren te laten gaan.

groenten met sherry-sojasaus

voor 4 personen

2 el zonnebloemolie

1 rode ui, gesneden

175 g wortels, fijngesneden

175 g courgettes, schuin gesneden

1 rode paprika, zonder zaadjes en
   gesneden

1 kleine krop Chinese kool,
   gesneden

150 g taugé

225 g bamboespruiten in blik,
   afgespoeld en uitgelekt

150 g cashewnoten, geroosterd

SAUS

3 el medium sherry

3 el lichte sojasaus

1 tl gemberpoeder

1 teentje knoflook, uitgeperst

1 tl maïzena

1 el tomatenpuree

VARIATIE

Gebruik voor dit uiterst veelzijdi-
ge gerecht de verse groenten die
voorhanden zijn.

1 Verhit de zonnebloemolie in een grote, voorverwarmde wok.

2 Fruit hierin de rode ui in 2-3 minuten glazig.

3 Roerbak dan wortels, courgettes en paprikareepjes 5 minuten mee.

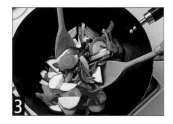

4 Voeg de Chinese kool, taugé en bamboespruiten toe en verwarm alles 2-3 minuten tot de kool begint te slinken. Roer de cashewnoten erdoor.

5 Meng sherry, sojasaus, gember, knoflook, maïzena en tomatenpu-ree in een kom door elkaar. Schenk dit over de groenten en vermeng alles goed. Laat het geheel 2-3 minuten pruttelen tot het vocht indikt. Serveer het gerecht meteen.

tofu met groene paprika en krokante uitjes

voor 4 personen

350 g stevige tofu (uitlekgewicht)

2 teentjes knoflook, uitgeperst

4 el donkere sojasaus

1 el zoete chilisaus

6 el zonnebloemolie

1 ui, gesneden

1 groene paprika, zonder zaadjes en
gesneden

1 el sesamolie

1 Snijd met een scherp mes de tofu in hanteerbare blokjes. Leg de tofu in een diepe, niet-metalen schaal.

2 Meng knoflook, sojasaus en chili-saus en sprenkel dit mengsel over de tofu. Roer alles goed door elkaar, dek de schaal af met huishoudfolie en laat de tofu 20 minuten marineren.

3 Verhit intussen de zonnebloem-olie in een grote, voorverwarmde wok.

4 Fruit hierin de ui bruin en krokant. Haal de ui er met een schuim-spaan uit en laat hem uitlekken op keukenpapier.

5 Roerbak de tofu ongeveer 5 minuten in de hete olie.

6 Haal alles, behalve 1 eetlepel zonnebloemolie, uit de wok. Doe de paprika in de wok en bak deze in 2-3 minuten zacht.

7 Doe tofu en uien terug in de wok en maak ze al roerend goed warm.

8 Sprenkel er sesamolie over en schep het gerecht op voorver-warmde borden en serveer meteen.

geroerbakte groene en zwarte bonen

voor 4 personen

225 g Chinese sperziebonen,
  gesneden

4 sjalotjes, gesneden

100 g shii-takes, fijngesneden

1 teentje knoflook, uitgeperst

1 krop ijsbergsla, gesneden

1 tl chiliolie

2 el boter

4 el zwartebonensaus

1 Snijd met een scherp mes de sperzieboontjes, sjalotten en shii-takes klein. Stamp het knoflook in een vijzel fijn en scheur de ijsbergsla in stukjes.

2 Verhit de chiliolie in een grote, voorverwarmde wok.

3 Roerbak hierin sperzieboontjes, sjalotten, knoflook en shii-takes 2-3 minuten.

4 Verwarm de ijsbergsla mee en roer ze tot de blaadjes slinken.

5 Voeg de zwartebonensaus toe en blijf roeren tot de saus borrelt.

6 Schep het gerecht op een voorverwarmde schaal en serveer het meteen.

TIP VAN DE KOK

Gebruik bij voorkeur Chinese sperziebonen. Deze zijn mals, kunnen geheel worden gegeten en zijn te koop in toko's.

gemengde groenten in pindasaus

voor 4 personen

2 wortels

1 kleine bloemkool, schoongemaakt

2 kleine kroppen paksoi

150 g haricots verts

2 el plantaardige olie

1 teentje knoflook, fijngehakt

6 lente-uitjes, gesneden

1 tl chilipasta

2 el sojasaus

2 el Chinese rijstwijn

4 el pindakaas, zonder stukjes

3 el kokosmelk

TIP VAN DE KOK

Het is belangrijk om de groenten in even grote stukjes te snijden, zodat de kooktijd snel en voor alle soorten gelijk kan zijn. Snijd alle groenten voor u begint met koken.

---

1 Snijd de wortels schuin in dunne plakjes, de bloemkoolroosjes in kleine partjes en de stronk in dunne plakjes. Snijd de paksoi in dikke stukken en de boontjes in stukjes van 3 centimeter lengte.

2 Verhit de olie in een voorverwarmde wok en roerbak hierin knoflook en uitjes 1 minuut op matig vuur. Roer er dan de chilipasta door en bak alles een paar seconden door.

3 Roerbak dan de wortels en de bloemkool 2-3 minuten mee.

4 Voeg de paksoi en de boontjes toe en roer ze 2 minuten mee. Roer de sojasaus en rijstwijn mee.

5 Meng de pindakaas met de kokosmelk, voeg dit mengsel toe aan de pan en roer alles nog een minuutje door. Serveer het gerecht meteen.

balti dhal

voor 4 personen

225 g chana dhal of gele kikkererwten, gewassen

½ tl koenjitpoeder

1 tl korianderpoeder

1 tl zout

4 kerrieblaadjes

2 el zonnebloemolie

½ tl asafoetidapoeder (duivelsdrek
of hing), naar keuze

1 tl komijnzaadjes

2 uien, gehakt

2 teentjes knoflook, uitgeperst

stukje verse gemberwortel van
1 cm, geraspt

½ tl garam masala

1 Doe de chana dal of gele
kikkererwten in een grote pan en
giet er ongeveer 2,5 centimeter water
over. Breng het water aan de kook en
schep het schuim eraf.

2 Voeg koenjit, koriander, zout en
de kerrieblaadjes toe. Temper het
vuur en laat het geheel 1 uur pruttelen
tot de erwten gaar zijn maar nog niet
papperig. Laat ze goed uitlekken.

3 Verhit de olie in een wok.
Roerbak hierin (eventueel) de
asafoetida 30 seconden.

4 Voeg de komijnzaadjes toe en bak
ze tot ze gaan springen.

5 Voeg dan de uitjes toe en fruit ze
in 5 minuten goudbruin.

6 Roerbak vervolgens knoflook,
gember, garam masala en chana
dala of kikkererwten 2 minuten mee.
Serveer de balti dhal meteen als een
bijgerecht bij een curryschotel of laat
het afkoelen en bewaar het in de
koelkast voor later gebruik.

gemengdebonenschotel

voor 4 personen

400 g rode kidney beans uit blik

400 g cannellinibonen uit blik

6 lente-uitjes

200 g ananasschijven uit blik

2 el ananassap

3-4 stukjes stemgember

2 el gembersiroop uit de pot

schil van halve limoen of citroen, in
    dunne sliertjes gesneden

2 el limoen- of citroensap

2 el lichte sojasaus

1 tl maïzena

1 el zonnebloemolie

115 g haricots verts, in stukjes van
    4 cm

225 g bamboespruiten

zout en peper

1 Laat de kidney- en cannellinibonen uitlekken, spoel ze af met
koud water en laat ze opnieuw
uitlekken.

2 Snijd 4 lente-uitjes in smalle,
schuine stukjes. Snipper de
andere 2 fijn voor de garnering.

3 Hak de ananas fijn en vermeng
met het sap, de gember en de

siroop, de citrusschil, het citrussap, de
sojasaus en de maïzena.

4 Verhit de olie in de wok, draai de
pan rond tot de olie echt heet is.
Fruit er dan de uitjes 2 minuten in en
voeg de haricots toe. Laat de bamboespruiten uitlekken, snijd ze in dunne
stukjes en bak ze 2 minuten mee.

5 Breng het ananasmengsel aan de
kook. Doe er dan de bonen bij en
maak ze in 1-2 minuten goed warm.

6 Beng het geheel op smaak met
zout en peper, strooi er de
bewaarde uisnippers over en serveer
de maaltijd meteen.

167

chinese groentepannenkoekjes

1 el plantaardige olie

1 teentje knoflook, uitgeperst

stukje verse gemberwortel van

    2,5 cm, geraspt

bosje lente-uitjes, in de lengte

    doorgesneden

100 g peultjes, in stukjes

225 g stevige tofu (uitlekgewicht),

    in stukjes van 1 cm

2 el donkere sojasaus

2 el hoisinsaus

55 g bamboespruiten in blik,

    afgespoeld en uitgelekt

55 g waterkastanjes, afgespoeld,

    uitgelekt en gesneden

100 g taugé

1 verse groen chilipepertje, zonder

    zaadjes en fijngesneden

kleine bosje vers bieslook

12 zachte Chinese pannenkoekjes

OM TE SERVEREN

Chinese koolblaadjes

1 komkommer, gesneden

stukjes verse chilipeper

donkere sojasaus en hoisinsaus om

    te dippen

1 Verhit de olie in een voorverwarmde wok en fruit hierin knoflook en gember 1 minuut.

2 Bak dan de uitjes, peultjes, tofu, soja- en hoisinsaus 2 minuten mee.

3 Voeg bamboespruiten, kastanjes, taugé en chilipeper toe en roerbak alles 2 minuten op laag vuur tot de groenten net gaar zijn.

4 Knip het bieslook in stukjes van 2,5 cm en roer ze door het mengsel.

5 Bak de pannenkoekjes volgens de aanwijzingen op de verpakking en houd ze warm.

6 Verdeel de groenten en de tofu gelijkmatig over de pannenkoekjes. Rol ze op en serveer ze met Chinese kool, komkommer, stukjes chilipeper en de dipsauzen.

tofuschotel

voor 4 personen

450 g stevige tofu (uitlekgewicht)

2 el arachideolie

8 lente-uitjes, in reepjes gesneden

2 stengels bleekselderij, gesneden

125 g bloemkoolroosjes

125 g courgettes, gesneden

2 teentjes knoflook, fijngesneden

450 g verse jonge spinazie

gekookte rijst

SAUS

4,25 dl groentebouillon

2 el lichte sojasaus

3 el hoisinsaus

$\frac{1}{2}$ tl chilipoeder

1 el sesamolie

1 Snijd met een scherp mes de tofu in blokjes van 2,5 centimeter en bewaar ze tot gebruik.

2 Verhit de arachideolie in een voorverwarmde wok of grote, zware koekenpan.

3 Roerbak hierin uitjes, selderij, broccoli, courgettes, knoflook, spinazie en tofu 3-4 minuten op matig vuur.

4 Vermeng alle ingrediënten voor de saus in een braadpan en breng het mengsel aan de kook.

5 Voeg de geroerbakte groenten en de tofu toe, temper het vuur, dek de schaal af en laat het geheel 10 minuten pruttelen.

6 Schep het gerecht op een voorverwarmde schaal en serveer het met rijst.

zoetzure tofu met groenten

voor 4 personen

2 stengels bleekselderij

1 wortel

1 groene paprika, zonder zaadjes

85 g peultjes

2 el plantaardige olie

2 teentjes knoflook, uitgeperst

8 babymaïskolfjes

115 g taugé

450 g stevige tofu, uitgelekt en in
    blokjes gesneden

gekookte rijst of noedels

SAUS

2 el lichtbruine suiker

2 el wijnazijn

2,25 dl groentebouillon

1 tl tomatenpuree

1 el maïzena

TIP VAN DE KOK

Zorg ervoor dat de tofu niet
uiteenvalt tijdens het roeren.

1 Snijd met een scherp mes de
selderij en de wortels in dunne
stukjes, de paprika in ringen en de
peultjes schuin doormidden.

2 Verhit de olie in een voorverwarmde wok tot deze lichtjes
begint te walmen. Temper enigszins
het vuur en fruit het knoflook, de
selderij, wortels, paprika, peultjes en
maïs 3-4 minuten.

3 Bak vervolgens de taugé en tofu
2 minuten mee.

4 Meng alle ingrediënten voor de
saus. Doe ze daarna in de wok en
breng ze al roerend aan de kook tot de
saus begint in te dikken. Kook het
geheel dan nog een minuutje door en
serveer het gerecht met rijst of noedels.

tofu met groenten

voor 4 personen

175 g aardappels, in blokjes

1 el plantaardige olie

1 rode ui, gesneden

225 g tofu (uitlekgewicht)

2 courgettes, gesneden

8 artisjokharten uit blik, gehalveerd

1,5 dl gezeefde tomaten

1 el zoete chilisaus

1 el lichte sojasaus

1 tl poedersuiker suiker

2 el vers basilicum, gehakt

zout en peper

1 Kook de aardappels 10 minuten in een pan kokend water.

2 Verhit de olie in een wok en fruit hierin in 2 minuten de ui glazig.

3 Snijd de tofu en roerbak de stukjes met de courgettes in 3-4 minuten bijna bruin.

4 Voeg de gekookte aardappels toe.

5 Roer er de artisjokharten, chili- en sojasaus, suiker en het basilicum door.

6 Voeg zout en peper toe en bak het geheel, al roerend, nog 5 minuten door.

7 Schep het gerecht op de borden en serveer het meteen.

TIP VAN DE KOK

Laat artisjokharten uit blik goed uitlekken en spoel ze grondig voor gebruik, want er is vaak zout aan toegevoegd.

krokante tofu met pikante sojasaus

voor 4 personen

300 g stevige tofu (uitlekgewicht)

2 el plantaardige olie

1 teentje knoflook, gesneden

1 wortel, in reepjes gesneden

½ groene paprika, zonder zaadjes
   en in reepjes gesneden

1 vers rood pili-pilipepertje, zonder
   zaadjes en fijngesneden

3 el lichte sojasaus

1 el limoensap

1 el lichtbruine basterdsuiker

ingemaakte stukjes knoflook, om te

serveren (naar keuze)

3 Schep de tofu uit de pan, laat de blokjes uitlekken en houd ze warm. Roerbak de wortel- en paprikareepjes 1 minuut. Schep wortel en paprika op een voorverwarmde schaal en leg de tofu erbovenop.

4 Vermeng het pepertje met de suiker, de sojasaus en het limoensap tot de suiker is opgelost.

5 Schep de saus over de tofu en serveer het gerecht meteen. Voeg eventueel de ingemaakte stukjes knoflook toe.

1 Dep de tofu droog met keukenpapier en snijd hem vervolgens in blokjes van 2 centimeter.

2 Verhit de olie in een voorverwarmde wok. Fruit hierin het knoflook 1 minuut op matig vuur. Haal het knoflook er dan uit, doe de tofu in de wok en bak deze snel rondom bruin.

geroerbakte paddestoelen met gember

voor 4 personen

2 el plantaardige olie

3 teentjes knoflook, uitgeperst

1 el Thaise rode currypasta

½ tl koenjitpoeder

425 g Chinese champignons uit
    blik, uitgelekt en gehalveerd

stukje verse gemberwortel van
    2 cm, fijngesneden

1 dl kokosmelk

40 g gedroogde Chinese zwarte
    paddestoelen, geweekt en
    uitgelekt

1 el limoensap

1 el lichte sojasaus

2 tl suiker

½ tl zout

8 kerstomaatjes, gehalveerd

200 g stevige tofu (uitlekgewicht),
    gesneden

verse koriander, ter garnering

gekookte geurige rijst

1 Verhit de olie in een wok en fruit hierin het knoflook 1 minuut. Fruit dan de currypasta en het koenjit 30 seconden mee.

2 Roerbak de champignons en de gember ongeveer 2 minuten mee en voeg dan de kokosmelk toe. Breng alles aan de kook.

3 Snijd de zwarte paddestoelen en doe ze in de wok met het limoensap, de sojasaus, de suiker en het zout. Voeg tomaten en tofu toe en warm alles goed door.

4 Strooi er de blaadjes koriander over en serveer het gerecht met de geurige rijst

pikante groentebeignets met chilisaus

voor 4 personen

150 g patentbloem

1 tl korianderpoeder

1 tl komijnpoeder

1 tl koenjitpoeder

1 tl zout

$\frac{1}{2}$ tl peper

2 teentjes knoflook, fijngehakt

stukje verse gemberwortel van
    3 cm, gehakt

2 verse groene chilipepertjes,
    fijngehakt

1 el verse koriander, gehakt

2,25 dl water, of meer

1 ui, gehakt

1 aardappel, grof geraspt

85 g maïskorrels

1 kleine aubergine, gesneden

125 g Chinese broccoli, in korte
    stukjes gesneden

kokosolie, om te frituren

ZOETE CHILISAUS

2 verse rode pili-pilipepertjes

4 el poedersuiker

4 el rijstwijn

1 el lichte sojasaus

1 Roer alle ingrediënten voor de dipsaus door elkaar tot de suiker helemaal is opgelost. Dek de kom af met huishoudfolie en zet hem weg, zodat de aroma's zich kunnen vermengen.

2 Doe voor de beignets de bloem in een kom en roer er koriander, komijn, koenjit, zout en peper door. Voeg knoflook, gember, pepertjes en verse koriander toe en roer er zoveel water door dat er een dik beslag ontstaat.

3 Doe de ui, aardappel, maïs, aubergine en broccoli bij het beslag en roer alle ingrediënten gelijkmatig door elkaar.

4 Verhit de olie in een wok tot 190 °C of tot een stukje brood in 30 seconden bruin wordt. Schep met een lepel de porties beslag in de hete olie en frituur de beignets, in porties, goudbruin en krokant.

5 Houd de eerste porties warm in een oven terwijl u de andere beignets maakt.

6 Laat de beignets goed uitlekken op keukenpapier en serveer ze als ze nog heet en krokant zijn met een bakje zoete chilisaus.

TIP VAN DE KOK

Chinese broccoli wordt ook wel Chinese kale of kailan genoemd. De blaadjes zijn groen met grijs-witte roosjes.

gefrituurde courgettes

voor 4 personen

450 g courgettes

1 eiwit

50 g maïzena

1 tl zout

1 tl Chinees vijfkruidenpoeder

frituurolie

chilisaus, op tafel

VARIATIE

Wissel naar keuze het vijfkruidenpoeder af met chili- of
currypoeder.

---

1 Snijd met een scherp mes de courgettes in dunne ringen of kleine stukjes.

2 Klop het eiwit in een kleine kom met een vork los en schuimig.

3 Meng maïzena, zout en vijfkrui-denpoeder door elkaar en spreid dit mengsel op een groot bord uit.

4 Verhit de frituurolie in een grote, voorverwarmde wok of zware koekenpan.

5 Doop elk stukje courgette eerst in het geklopte eiwit en dan in het maïzenamengsel.

6 Frituur de courgettes, in porties, in ongeveer 5 minuten lichtgoud en krokant.

7 Haal de courgettes met een schuimspaan uit de pan en laat ze uitlekken op keukenpapier.

8 Schep de courgettes op de borden en serveer ze meteen met de chilisaus.

pikante maïsballetjes uit de frituur

voor 4 personen

6 lente-uitjes

3 el verse koriander, gehakt

225 g maïskorrels uit blik

1 el milde chilipoeder

1 el zoete chilisaus, en wat extra
   voor erbij

25 g kokos, gemalen

1 ei

75 g polenta

frituurolie

1 Meng in een grote kom de lente-uitjes, de koriander, de maïs, het chilipoeder, de chilisaus, het kokos, het ei en de polenta tot een samenhangend geheel.

2 Dek de kom af met huishoudfolie en laat het mengsel ongeveer 10 minuten staan.

3 Verhit de frituurolie in een grote, voorverwarmde wok tot 190 °C of tot een stukje brood in 30 seconden bruin wordt.

4 Schep met een lepel porties van het chili-polentamengsel in de hete olie en frituur in 4-5 minuten de balletjes, in porties, goudbruin en krokant.

5 Haal de maïsballetjes uit de pan en laat ze op absorberend papier goed uitlekken. Houd ze warm.

6 Schep de maïsballetjes op de borden en serveer ze met de dipsaus.

asperge-paprikaloempia's

voor 4 personen

1 rode paprika, zonder zaadjes

100 g dunne groene aspergepunten

50 g taugé

2 el pruimensap

1 eierdooier

8 vellen filodeeg

frituurolie

zoete chilisaus

1 Snijd de paprika in reepjes en meng ze met de aspergepunten en taugé in een grote kom.

2 Voeg het pruimensap en de groenten toe en meng alles goed door elkaar.

3 Klop het eiwit los en bewaar het tot gebruik.

4 Spreid de vellen filodeeg uit op het werkblad, zodat u ze een voor een kunt vullen.

5 Leg een paar aspergepunten en wat reepjes paprika aan het eind van elk vel. Bestrijk de randen van het vel met een beetje eiwit.

6 Rol het vel op, sla de einden naar binnen en verpak de vulling als bij een loempia. Doe dit met alle vellen.

7 Verhit de frituurolie in een grote, voorverwarmde wok. Frituur hierin voorzichtig de pakketjes in 4-5 minuten krokant.

8 Schep de loempia's met een schuimspaan uit de pan en laat ze goed uitlekken.

9 Leg ze op de voorverwarmde borden en serveer ze meteen met de dipsaus.

> **TIP VAN DE KOK**
> Groene asperges zijn minder vezelig dan witte en hoeven niet te worden geschild.

spinazie met shii-take en honing

voor 4 personen

4 lente-uitjes

3 el arachideolie

350 g shii-takes, gesneden

2 teentjes knoflook, uitgeperst

350 g verse jonge spinazie

2 el Chinese rijstwijn of droge sherry

2 el heldere honing

1 Snijd met een scherp mes de uitjes fijn.

2 Verhit de olie in een grote, voorverwarmde wok.

3 Roerbak hierin in ongeveer 5 minuten de shii-takes tot ze zacht zijn.

4 Doe er het knoflook bij.

5 Voeg de spinazie toe en bak alles nog 2-3 minuten tot de spinazie slinkt.

6 Vermeng de Chinese rijstwijn of sherry met de honing in een kleine kom. Sprenkel het mengsel over de spinazie en verwarm alles al

roerend goed door tot de blaadjes spinazie glanzen.

7 Schep het gerecht op de voorverwarmde borden en strooi er de gehakte uitjes over. Serveer meteen.

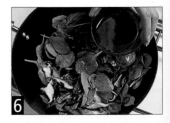

broccoli in hoisinsaus

voor 4 personen

400 g broccoli

1 el arachideolie

2 sjalotjes, fijngehakt

1 teentje knoflook, fijngehakt

1 el Chinese rijstwijn of droge sherry

5 el hoisinsaus

¼ tl peper

1 tl chiliolie

1 Maak de broccoli schoon en snijd de groenten in kleine roosjes. Blancheer ze 30 seconden in kokend water en laat ze goed uitlekken.

2 Verhit de olie in een voorverwarmde wok. Draai de pan rond tot de olie heel heet is. Fruit hierin op matig vuur in 1-2 minuten uitjes en knoflook goudbruin.

3 Bak de broccoliroosjes 2 minuten mee en daarna de rijstwijn of de sherry met de hoisinsaus nog een minuutje.

4 Roer de peper erdoor en sprenkel er vlak voor het opdienen een beetje chiliolie over. Schep het gerecht op voorverwarmde borden en serveer het meteen.

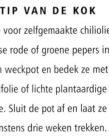

TIP VAN DE KOK

Doe voor zelfgemaakte chiliolie verse rode of groene pepers in een weckpot en bedek ze met olijfolie of lichte plantaardige olie. Sluit de pot af en laat ze minstens drie weken trekken.

kruidige thaise champignons

voor 4 personen

8 grote kastanjechampignons

3 el zonnebloemolie

2 el lichte sojasaus

1 teentje knoflook, uitgeperst

stukje verse galanga of gemberwortel van 2 centimeter, geraspt

1 el Thaise groene currypasta

8 babymaïskolfjes, gesneden

3 lente-uitjes, gehakt

115 g taugé

100 g stevige tofu (uitlekgewicht),
gesneden

2 tl sesamzaadjes, geroosterd

OM TE SERVEREN

blokjes komkommer

sliertjes rode paprika

1 Snijd de stelen van de champignons en bewaar ze. Leg de
hoedjes op een bakblik. Vermeng
2 eetlepels olie met 1 eetlepel lichte
sojasaus en bestrijk hiermee de
hoedjes rondom.

2 Bak de champignonhoedjes onder
een voorverwarmde grill
goudbruin en gaar. Keer ze eenmaal.

3 Hak de steeltjes van de paddestoelen fijn. Verhit de resterende
olie in een voorverwarmde wok en
fruit hierin de steeltjes met knoflook en
galanga of gember gedurende
1 minuut.

4 Bak de currypasta, maïs en lente-
uitjes 1 minuut mee en daarna de
taugé ook 1 minuut.

5 Voeg blokjes tofu en de rest van
de sojasaus toe. Maak alles,
losjes roerend, goed warm, en verdeel
het mengsel dan gelijkelijk over de
champignonhoedjes.

6 Bestrooi de kruidige paddestoelen
met de sesamzaadjes. Serveer het
gerecht meteen met de komkommer en
de rode paprika.

salade van aubergine en sesamzaad

voor 4 personen

8 kleine aubergines

zout

2 tl chiliolie

2 el lichte sojasaus

1 teentje knoflook, fijngesneden

1 vers pili-pilipepertje, zonder

    zaadjes en gesneden

1 el zonnebloemolie

1 tl sesamolie

1 el limoensap

1 tl lichtbruine basterdsuiker

1 el verse munt, gehakt

1 el sesamzaadjes, geroosterd

verse blaadjes munt, ter garnering

1 Snijd de aubergines in de lengte enkele malen door tot 2,5 centimeter afstand van de steel. Leg ze in een vergiet en strooi zout tussen de plakjes. Laat ze ongeveer 30 minuten uitlekken. Spoel ze met koud water en dep ze droog met keukenpapier.

2 Vermeng de chiliolie met de sojasaus en bestrijk hiermee de aubergines rondom in. Leg ze 6-8 minuten onder een voorverwarmde hete grill of op de barbecue, draai ze regelmatig en bestrijk ze af en toe met olie, tot ze goudbruin en zacht zijn. Leg ze op een schaal.

3 Fruit het knoflook en het pepertje 1-2 minuten in de zonnebloemolie tot ze beginnen te bruinen. Haal de pan van het vuur en voeg sesamolie, limoensap, bruine suiker en het restje chiliolie toe.

4 Voeg de gehakte munt toe en schep de warme dressing over de aubergines.

5 Laat de aubergines ongeveer 20 minuten marineren en bestrooi ze dan met geroosterde sesamzaadjes. Serveer ze met verse blaadjes munt.

chinese paddestoelen met gefrituurde tofu

voor 4 personen

25 g gedroogde Chinese paddestoelen

450 g stevige tofu (uitlekgewicht)

4 el maïzena

frituurolie

2 teentjes knoflook, fijngehakt

2 tl verse gemberwortel, geraspt

100 g verse doperwten

of ontdooide uit de diepvries

1 Leg de Chinese paddestoelen in een grote kom en bedek ze met water. Laat ze ongeveer 10 minuten weken.

2 Snijd intussen de tofu met een scherp mes in hanteerbare blokjes.

3 Doe de maïzena in een grote mengkom.

4 Meng de tofu goed door de maïzena.

5 Verhit de frituurolie in een grote, voorverwarmde wok.

6 Frituur hierin de tofu, in kleine porties, in 2-3 minuten goudbruin en krokant. Schep de blokjes tofu met een schuimspaan uit de pan en laat ze op keukenpapier uitlekken.

7 Giet, op 2 eetlepels na, alle olie uit de wok. Roerbak dan in de wok het knoflook, de gember en de Chinese paddestoelen 2-3 minuten.

8 Doe de tofu weer in de wok en voeg de erwtjes toe. Verwarm alles nog een minuutje en serveer het gerecht heet.

broccoli met chinese kool

voor 4 personen

450 g broccoliroosjes

2 el zonnebloemolie

1 ui, gesneden

2 teentjes knoflook, fijngesneden

25 g amandelsnippers

1 krop Chinese kool, gesneden

4 el zwartebonensaus

1 Breng een grote pan met water aan de kook.

2 Kook hierin gedurende 1 minuut de broccoli. Laat de groente daarna goed uitlekken.

3 Verhit intussen de zonnebloem-olie in een grote, voorverwarmde wok. Verdeel de olie goed over de bodem.

4 Fruit in de wok de ui en het knoflook tot ze bruinen.

5 Roerbak de broccoli en amandel-snippers 2-3 minuten mee.

6 Bak vervolgens de Chinese kool 2 minuten mee.

7 Roer de zwartebonensaus goed door de groenten en kook het geheel tot het vocht begint te borrelen.

8 Schep het gerecht in voorver-warmde kommen en serveer het meteen.

VARIATIE

Heel lekker zijn ook ongezouten cashewnoten in plaats van de amandelen.

pompoen met cashewnoten en koriander

voor 4 personen

1 kg (muskaat)pompoen

3 el arachideolie

1 ui, gesneden

2 teentjes knoflook, uitgeperst

1 tl korianderzaadjes

1 tl komijnzaadjes

2 el verse koriander, gehakt

1,5 dl kokosmelk

1 dl water

100 g gezouten cashewnoten

TER GARNERING

versgeraspte limoenschil

verse koriander

schijfjes limoen

1 Snijd de pompoen in kleine blokjes.

2 Verhit de arachideolie in een grote, voorverwarmde wok.

3 Roerbak hierin in 5 minuten de pompoen, de ui en het knoflook.

4 Bak de koriander- en komijnzaadjes en de verse koriander een minuutje mee.

TIP VAN DE KOK

Doe, bij gebrek aan kokosmelk, een beetje geraspte kokos bij het water in stap 5.

5 Voeg de kokosmelk en het water toe en breng het geheel aan de kook. Temper het vuur, dek de wok af en laat alles 10-15 minuten pruttelen tot de pompoen zacht is.

6 Voeg de cashewnoten toe en roer ze goed door.

7 Schep het gerecht op voorverwarmde borden en garneer deze met versgeraspte limoenschil. Serveer de maaltijd meteen.

prei met babymaïs en gelebonensaus

voor 4 personen

450 g prei

175 g babymaïskolfjes

6 lente-uitjes

3 el arachideolie

225 g Chinese kool, gesneden

4 el gelebonensaus

TIP VAN DE KOK

Gelebonensaus is gemaakt van uitgeperste zoute sojabonen met meel en kruiden.

1 Snijd met een scherp mes de prei fijn, halveer de maïskolfjes en hak de lente-uitjes fijn.

2 Verhit de olie in een grote, voorverwarmde wok en draai de pan rond tot hij heet is en de olie lichtjes begint te walmen.

3 Doe de prei, Chinese kool en maïs in de wok.

4 Roerbak de groenten 5 minuten op hoog vuur tot de groenten aan de randen net beginnen te bruinen.

5 Roer de uitjes door het mengsel in de wok.

6 Voeg de gelebonensaus toe en bak het mengsel nog 2 minuten door tot alles warm is en de groenten rondom met de saus zijn bedekt.

7 Schep de groenten op voorverwarmde borden en serveer ze meteen.

gemengde groenten met gember

voor 4 personen

1 el verse gember, geraspt

1 tl gemberpoeder

1 el tomatenpuree

2 el zonnebloemolie

1 teentje knoflook, uitgeperst

2 el lichte sojasaus

350 g quorn of blokjes soja

225 g wortels, gesneden

100 g sperziebonen

4 stengels bleekselderij, gesneden

1 rode paprika, zonder zaadjes

gekookte rijst

1 Doe de geraspte gember, het gemberpoeder, de tomatenpuree, 1 eetlepel zonnebloemolie, het knoflook, de sojasaus en de quorn of blokjes soja in een grote kom. Meng de ingrediënten voorzichtig zonder dat de quorn of soja uit elkaar valt. Dek de kom af met huishoudfolie en laat alles 20 minuten marineren.

2 Verhit de resterende zonne- bloemolie in een grote, voorverwarmde wok.

3 Roerbak hierin het gemarineerde quorn-mengsel ongeveer 2 minuten.

4 Bak de wortels, sperziebonen, selderij en de gesneden rode paprika nog 5 minuten mee.

5 Schep het gerecht op voorver- warmde borden en serveer meteen met versgekookte rijst.

TIP VAN DE KOK

Gember is op een koele, droge plek een aantal weken houd- baar. Bewaren in de vriezer is ook mogelijk – u kunt er dan voor gebruik wat van afbreken.

paprika's met kastanjes en knoflook

voor 4 personen

225 g prei

frituurolie

3 el arachideolie

3 paprika's: een gele, een groene
en een rode, zonder zaadjes en
gesneden

200 g waterkastanjes uit blik,
uitgelekt en gesneden

2 teentjes knoflook, uitgeperst

3 el lichte sojasaus

1 Snijd voor de garnering de prei
met een scherp mes in dunne
ringetjes.

2 Verhit de frituurolie in een wok of
grote, zware pan.

3 Frituur hierin de preiringen in
2-3 minuten op matig vuur
knapperig. Zet ze daarna even weg.

4 Verwijder de frituurolie en verhit
de arachideolie in de wok of
koekenpan.

TIP VAN DE KOK

Voeg 1 eetlepel hoisinsaus toe in
stap 6 voor extra geur en smaak.

5 Doe alle stukjes paprika in de
wok en roerbak ze 5 minuten op
hoog vuur tot ze bruin en zacht
beginnen te worden.

6 Voeg de waterkastanjes, het
knoflook en de sojasaus toe en
roerbak alles nog 2 minuten door.

7 Schep het gerecht op voorverwarmde borden en garneer het
met de preiringen. Serveer het meteen.

kruidige aubergineschotel

voor 4 personen

3 el arachideolie

2 uien, gesneden

2 teentjes knoflook, gehakt

2 aubergines, gesneden

2 verse rode chilipepertjes, zonder
    zaadjes en heel fijngehakt

2 el bruine rietsuiker

6 lente-uitjes, gesneden

3 el mangochutney

frituurolie

2 teentjes knoflook, ter garnering

1 Verhit de arachideolie in een grote, voorverwarmde wok. Draai de olie in de wok rond tot de olie heel heet is.

2 Doe de ui en de gehakte knoflook in de wok en roer goed door.

3 Voeg de aubergines en pepers toe en roerbak alles 5 minuten.

4 Roer er de suiker, lente-uitjes en mangochutney goed doorheen.

5 Temper het vuur en laat het geheel afgesloten, onder af en toe roeren, 15 minuten prutteln tot de aubergines zacht zijn.

6 Schep het gerecht in kommen en houd het warm.

7 Snijd het knoflook, verhit de frituurolie in de wok en frituur hierin snel de plakjes knoflook lichtbruin. Garneer hier het gerecht mee en serveer het meteen.

TIP VAN DE KOK

De scherpte van de chilipepertjes verschilt enorm. Wees dus voorzichtig in het gebruik ervan. Algemeen geldt: hoe kleiner, hoe heter. De zaadjes en de schilletjes van de pepers zijn het scherpst en worden gewoonlijk verwijderd.

roerbak-groenteschotel

voor 4 personen

3 el plantaardige olie

8 kleine uitjes, gehalveerd

1 aubergine, gesneden

225 g courgettes, gesneden

225 g paddestoelen, gehalveerd

2 teentjes knoflook, uitgeperst

400 g tomaten in blik, gehakt

2 el puree van zongedroogde

   tomaten

2 el sojasaus

1 tl sesamolie

1 el Chinese rijstwijn of droge sherry

peper

verse blaadjes basilicum, ter

   garnering

TIP VAN DE KOK

Basilicum heeft een sterke geur
die goed combineert met
groenten en Chinese kruiden.
Behalve als garnering kunt u in
stap 4 ook een handje vers
basilicum toevoegen aan het
gerecht.

1 Verhit de olie in een grote,
voorverwarmde wok of koekenpan.

2 Roerbak hierin de uitjes en
aubergine tot ze goudbruin en
bijna gaar zijn.

3 Roerbak courgettes, paddestoelen, gehakte tomaten en
tomatenpasta ongeveer 5 minuten
mee. Temper het vuur en laat alles
10 minuten pruttelen tot de groenten
gaar zijn.

4 Voeg de sojasaus, sesamolie en
rijstwijn of sherry toe en breng
alles weer aan de kook. Laat het
geheel 1 minuutje koken.

5 Breng de groenten op smaak met
peper en strooi er hele blaadjes
basilicum over. Schep het gerecht op
een voorverwarmde schaal en serveer
de maaltijd meteen.

aardappelschotel

voor 4 personen

900 g glazige aardappels

2 el plantaardige olie

1 gele paprika, zonder zaadjes en gesneden

1 rode paprika, zonder zaadjes en gesneden

1 wortel, in luciferdunne reepjes

1 courgette, in luciferdunne reepjes

2 teentjes knoflook, uitgeperst

1 vers rood pepertje, zonder zaadjes en gesneden

bosje lente-uitjes

1,25 dl kokosmelk

1 tl citroengras, gehakt

1 tl limoensap

geraspte schil van 1 limoen

1 el verse koriander, gehakt

TIP VAN DE KOK

Zorg ervoor dat u de aardappels niet te gaar kookt, want dan zullen ze tijdens het roerbakken uit elkaar vallen.

1 Snijd de aardappels met een scherp mes in blokjes.

2 Breng een grote pan met water aan de kook en kook de aardappels hierin 5 minuten. Laat ze daarna goed uitlekken.

3 Verhit de olie in een voorverwarmde pan of grote koekenpan. Draai pan rond tot de olie heel heet is.

4 Roerbak hierin aardappels, paprika, wortel, courgettes, knoflook en pepertje gedurende 2-3 minuten.

5 Halveer de lente-uitjes in de lengte. Bak ze samen met de uitjes, kokosmelk, het citroengras en limoensap 5 minuten mee.

6 Bak de geraspte limoenschil en gehakte koriander nog een minuutje mee en serveer meteen.

groenteschotel met eieren

voor 4 personen

2 eieren

225 g wortels

350 g witte kool

2 el plantaardige olie

1 rode paprika, zonder zaadjes en
fijngesneden

150 g taugé

1 el tomatenketchup

2 el lichte sojasaus

75 g gezouten pinda's, gehakt

1 Breng in een kleine pan wat water aan de kook en kook hierin de eieren ongeveer 7 minuten. Haal de eieren uit de pan en laat ze schrikken met koud water. Pel ze en snijd ze in vieren.

2 Rasp de wortels met de hand of in de keukenmachine.

3 Verwijder de buitenste bladen van de kool en de stronk. Snijd de bladeren met een scherp mes of de keukenmachine heel fijn.

4 Verhit de olie in een grote, voorverwarmde wok of grote, zware koekenpan.

5 Roerbak hierin wortels, kool en rode paprika 3 minuten.

6 Voeg de taugé toe en bak deze 2 minuten mee.

7 Vermeng de tomatenketchup met de sojasaus en doe het mengsel in de wok of koekenpan. Voeg de pinda's toe en roerbak alles nog een minuutje.

8 Verdeel het gerecht over de voorverwarmde borden en garneer het met de partjes ei. Serveer de maaltijd meteen.

paksoi met rode ui en cashewnoten

voor 4 personen

2 rode uien

175 g rode kool

2 el arachideolie

225 g paksoi

2 el pruimensap

100 g cashewnoten, geroosterd

VARIATIE

Neem eens ongezouten pinda's in plaats van cashewnoten en Chinese spinazie (callaloo) of Chinese kool in plaats van paksoi.

1 Snijd met een scherp mes de rode uien in dunne schijfjes en snijd de rode kool klein.

2 Maak de olie in een grote, voorverwarmde wok goed heet.

3 Fruit hierin de uien ongeveer 5 minuten tot ze bruin beginnen te worden.

4 Roerbak de rode kool 5 minuten mee.

5 Bak de paksoi 2-3 minuten mee tot de groente begint te slinken.

6 Meng het pruimensap goed door de groenten en verhit het mengsel tot het vocht gaat borrelen.

7 Strooi er de geroosterde cashewnoten over en schep alles in voorverwarmde kommen. Serveer het gerecht meteen.

groenteschotel met pindasaus

1 Maal voor de pindasaus de pinda's in een keukenmachine fijn of hak ze heel fijn. Doe ze in een kleine pan met de hete chilisaus, de kokosmelk, de sojasaus, het koriander- en koenjitpoeder en de suiker. Laat dit mengsel op een laag vuur 3-4 minuten zachtjes pruttelen. Houd het warm tot gebruik.

2 Verhit de olie in een voorverwarmde wok en fruit hierin sjalotjes, knoflook en pepertjes op een matig vuur gedurende 2 minuten.

3 Roerbak de wortels, paprika, courgette en sugar snaps 2 minuten mee.

4 Voeg dan komkommer, paddestoelen, kastanjes, gember, limoenschil en -sap en verse koriander toe en bak alles snel krokant, zonder dat het zacht wordt. Breng het geheel op smaak met zout en peper.

5 Verdeel het gerecht over vier voorverwarmde borden en garneer het met schijfjes limoen. Doe de pindasaus in een kom en serveer het met de groenteschotel.

sperzieboontjes met tomaten

voor 4 personen

500 g sperziebonen, in stukjes van
   5 cm

2 el plantaardige geklaarde boter

stukje verse gemberwortel van
   2,5 cm, geraspt

1 teentje knoflook, uitgeperst

1 tl koenjitpoeder

½ tl cayennepeper

1 tl korianderpoeder

4 tomaten, ontveld, zonder zaadjes
   en gesneden

150 ml groentebouillon

1 Blancheer de boontjes kort in kokend water, laat ze uitlekken, spoel ze met koud water en laat ze weer uitlekken.

2 Smelt de geklaarde boter op matig vuur in een wok. Voeg gember, knoflook toe en vervolgens koenjit, cayennepeper en korianderpoeder. Fruit 1 minuut op een laag vuur.

3 Voeg de tomaten toe en roer ze goed door zodat ze helemaal met het kruidenmengsel zijn bedekt.

4 Voeg de bouillon toe, breng het aan de kook en laat alles, onder af en toe roeren, ongeveer 10 minuten pruttelen tot de saus is ingedikt.

5 Voeg de boontjes toe, temper het vuur en verwarm het gerecht onder regelmatig roeren nog 5 minuten.

6 Schep het gerecht op een voorverwarmde schaal en serveer het meteen.

courgettecurry

voor 4 personen

6 el plantaardige olie

1 ui, fijngehakt

3 verse groene pepertjes, fijngehakt

1 tl verse gemberwortel, fijngehakt

1 tl knoflook, uitgeperst

1 tl chilipoeder

500 g courgettes, fijngesneden

2 tomaten, gesneden

1 el verse koriander, en wat extra ter
    garnering

2 tl fenegriek

chapatis, voor op tafel

VARIATIE

Fenegriek kunt u desgewenst
vervangen door koriander-
zaadjes.

2 Roerbak de courgettes en de tomaten 5-7 minuten mee op matig vuur.

1 Verhit de olie in een wok. Fruit hierin ui, pepertjes, gember, knoflook en chilipoeder 2-3 minuten op laag vuur tot de ui zacht begint te worden.

3 Voeg de koriander en de fenegriek toe en bak ze 5 minuten mee tot de groenten gaar zijn.

4 Haal de pan van het vuur en schep het gerecht op voorver-warmde borden. Garneer ze met de verse blaadjes koriander en serveer het gerecht met warme chapatis.

groene roerbakschotel

voor 4 personen

2 el arachideolie

2 teentjes knoflook, uitgeperst

$^{1}/_{2}$ tl steranijs

1 tl zout

350 g paksoi, gesneden

225 g verse jonge spinazie

25 g peultjes

1 stengel bleekselderij

1 groene paprika, zonder zaadjes en
  gesneden

0,5 dl groentebouillon

1 tl sesamolie

TIP VAN DE KOK

Steranijs is een belangrijk
ingrediënt in de Chinese keuken.
Deze aantrekkelijke stervormige
peul(vrucht) wordt meestal in zijn
geheel gebruikt ter garnering.
Het aroma lijkt op zoethout,
maar is kruidiger en sterker.

1 Verhit de arachideolie in een voorverwarmde wok. Draai de pan rond tot de olie heel heet is.

2 Fruit hierin eerst het knoflook ongeveer 30 seconden en roerbak dan de steranijs, het zout, de paksoi, spinazie, peultjes, selderij en paprika 3-4 minuten mee.

3 Voeg de bouillon toe, temper het vuur, dek de pan af en laat alles 3-4 minuten prutteIen. Voeg vervolgens de sesamolie toe. Meng alles goed door.

4 Schep het gerecht op een voorverwarmde schaal en serveer het meteen.

seizoensschotel

voor 4 personen

1 rode paprika, zonder zaad

115 g courgette

115 g bloemkool

115 g haricots verts

3 el plantaardige olie

enkele plakjes verse gemberwortel

$^1/_2$ tl zout

$^1/_2$ tl suiker

1-2 el groentebouillon of water
   (naar keuze)

1 el lichte sojasaus

enkele druppels sesamolie (naar
   keuze)

1 Snijd met een scherp mes of een hakmes de paprika in stukjes en de courgettes fijn. Verdeel de bloemkool in kleine roosjes. Verwijder dikke stronken. Zorg dat alle stukjes groenten ongeveer even groot zijn, zodat ze even lang geroerbakt moeten worden. Maak de boontjes schoon en snijd ze doormidden.

2 Verhit de olie in een voorverwarmde wok en roerbak hierin de groenten ongeveer 2 minuten.

3 Voeg zout en peper toe en bak nog 1-2 minuten. Voeg, als het mengsel echt te droog is, een scheutje water of bouillon toe.

4 Roer de sojasaus en eventueel de sesamolie er goed door, zodat alle groenten ermee bedekt zijn.

5 Schep de groenten in een voorverwarmde schaal of kom en serveer het gerecht meteen.

gemengde zomergroenten

voor 4 personen

225 g bospeen

125 g snijbonen of haricots verts

2 courgettes

bosje lente-uitjes

bosje radijs

4 el boter

2 el milde olijfolie

2 el wittewijnazijn

4 el droge witte wijn

1 tl bruine rietsuiker

1 el verse dragon, gehakt

zout en peper

verse takjes dragon, ter garnering

3 Doe intussen olijfolie, azijn en witte wijn in een pan. Voeg de suiker toe. Zet de pan op laag vuur en roer tot de suiker is opgelost. Haal de pan van het vuur en voeg de dragon toe.

4 Giet de dressing over de groenten en roer goed door tot alle groenten zijn bedekt. Breng op smaak met zout en peper en schep de groenten op een voorverwarmde schaal. Garneer met takjes verse dragon en serveer meteen.

1 Snijd de worteltjes in de lengte doormidden, snijd de boontjes en de courgettes, halveer de uitjes en de radijzen. Doe het zo dat alle stukjes groenten even groot zijn.

2 Verhit de boter in een wok tot deze lichtjes begint te walmen. Roerbak hierin alle groenten op matig vuur tot ze gaar zijn maar nog wel knapperig en stevig.

broccoli met gember en sinaasappel

voor 4 personen

750 g broccoli

2 dunne plakjes verse gemberwortel

2 teentjes knoflook

1 sinaasappel

2 tl maïzena

1 el lichte sojasaus

½ tl suiker

2 el plantaardige olie

VARIATIE

Dit gerecht kunt u ook bereiden met bloemkool of een mengsel van bloemkool en broccoli.

1 Verdeel de broccoli in roosjes. Schil de steeltjes met een dunsnijder en snijd ze dan met een scherp mes in dunne reepjes.

2 Snijd de gemberwortel en het knoflook in dunne plakjes.

3 Schil twee lange stukken schil van de sinaasappel en snijd ze in dunne slierten. Doe ze in een kom en giet er koud water over.

4 Pers de sinaasappel uit en meng het sap in een kom met de maïzena, sojasaus, suiker en 4 eetlepels water.

5 Verhit de olie in een voorverwarmde wok en roerbak hierin de broccolisteeltjes 2 minuten.

6 Bak de plakjes gember, knoflook en de broccoliroosjes 3 minuten mee.

7 Voeg het soja-sinaasappelmengsel toe en kook alles, al roerend, door tot de saus is ingedikt en de broccoli rondom is bedekt.

8 Laat de slierten sinaasappelschil uitlekken en doe ze bij het mengsel in de wok. Schep het gerecht op een schaal en serveer het meteen.

Rijst en noedels

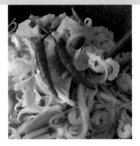

Rijst en noedels fungeren als basisingrediënten voor de Aziatische keuken, omdat ze goedkoop, voedzaam en lekker zijn. De toepassingsmogelijkheden zijn bijna eindeloos; rijst of noedels zijn daarom onderdeel van elke maaltijd. Sommige rijst- en noedelgerechten zijn bijgerechten, andere zijn hoofdgerechten in combinatie met vlees, groenten en vis; ze worden op smaak gebracht met geurige kruiden en specerijen.

Witte rijst eet men als bijgerecht bij een hoofdgerecht en dient om de maag tussen de copieuze, kruidige gangen te stabiliseren. Noedels variëren van land tot land en kennen vele gedaanten. Dunne eiernoedels worden gemaakt van tarwebloem, water en ei, en zijn waarschijnlijk in het Westen het bekendst als eiermie. De bereiding van zowel verse als gedroogde mie kost weinig tijd en is daarom ideaal voor de snelle keuken.

chinese gebakken rijst

voor 4 personen

7 dl water

300 g langkorrelige witte rijst

2 eieren

4 tl koud water

3 el zonnebloemolie

4 lente-uitjes, schuin gesneden

1 rode, groene of gele paprika,
    zonder zaadjes en fijngesneden

3-4 plakjes mager ontbijtspek, in
    reepjes gesneden

200 g taugé

115 g diepvriesdoperwten, ontdooid

2 el lichte sojasaus (naar keuze)

zout en peper

1 Breng het water in een wok met een halve theelepel zout aan de kook. Spoel de rijst in een zeef af met koud water tot het water helder is, laat de rijst uitlekken en doe deze in de wok. Roer goed door, doe er een deksel op en laat de rijst 12-13 minuten pruttelen. (Haal het deksel er tussendoor niet af, want dan ontsnapt er stoom en wordt de rijst niet gaar.)

2 Roer de rijst om en spreid hem uit op een grote schaal of bakplaat om af te koelen en te drogen.

3 Klop elk ei afzonderlijk los met zout en peper en 2 theelepels koud water. Verhit 1 eetlepel olie in de wok, schenk het eerste ei erin, draai het rond in de pan en laat het dan ongestoord stollen. Schep het op een snijplank en bak de tweede omelet. Snijd ze beide in dunne reepjes.

4 Doe de resterende olie in de wok en fruit hierin de uitjes en paprika 1-2 minuten. Bak de reepjes spek 1-2 minuten mee en roer er vervolgens grondig de taugé en de doperwten door. Voeg desgewenst de sojasaus toe.

5 Voeg de rijst toe, breng het geheel op smaak met zout en peper en roerbak alles een minuutje door. Bak dan de reepjes omelet ongeveer 2 minuten mee tot de rijst gloeiend heet is. Schep het gerecht op een voorverwarmde schaal en serveer het meteen.

chinese risotto

voor 4 personen

2 el arachideolie

1 ui, gesneden

2 teentjes knoflook, uitgeperst

1 tl Chinees vijfkruidenpoeder

225 g Chinese worst, gesneden

225 g wortels, gesneden

1 groene paprika, zonder zaadjes en
   gesneden

275 g risottorijst

8,5 dl groente- of kippenbouillon

6 verse sprietjes bieslook

TIP VAN DE KOK

Chinese worst is heel smaakvol
en wordt gemaakt van gekruid
varkensvet- en gehakt. U kunt
eventueel ook Portugese worst
nemen.

1 Verhit de olie in een grote,
voorverwarmde wok.

2 Fruit hierin de ui, het knoflook en
het vijfkruidenpoeder gedurende
1 minuut.

3 Voeg de worst, wortels en
paprika toe en roer alles goed
door.

4 Roer de rijst erdoor en bak alles
nog een minuutje.

5 Voeg geleidelijk de bouillon erbij
en blijf roeren tot het vocht
helemaal is opgenomen en de
rijstkorrels zacht zijn.

6 Knip het bieslook fijn en voeg het
met het laatste scheutje bouillon
toe in de wok.

7 Schep de Chinese risotto in
voorverwarmde kommen en
serveer het gerecht meteen.

kokosrijst

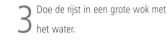

voor 4 personen

275 g langkorrelige rijst

6 dl water

½ tl zout

1 dl kokosmelk

25 g gedroogd kokos

vers kokosschaafsel, ter garnering
(naar keuze)

1 Spoel de rijst grondig met koud water tot het water volledig helder is.

2 Laat de rijst goed uitlekken in een zeef op een grote kom. Dit verwijdert deels het zetmeel en voorkomt dat de korrels tijdens het koken aan elkaar kleven.

3 Doe de rijst in een grote wok met het water.

4 Voeg zout en kokosmelk toe en breng alles aan de kook.

5 Dek de wok af, temper het vuur en laat de rijst 10 minuten zachtjes koken.

6 Doe het deksel van de wok en roer de rijst luchtig met een vork los. Alle vloeistof moet zijn opgenomen en de rijst moet zacht zijn. Is dit niet het geval, voeg dan extra water toe en kook het geheel nog enkele minuten door tot het vocht is geabsorbeerd.

7 Schep de rijst in een voorverwarmde kom en strooi er gedroogd kokos over. Garneer het gerecht met het kokosschaafsel.

TIP VAN DE KOK

Kokosmelk wordt gemaakt door de verse, witte kokosvrucht te weken in water en melk en daarna uit te knijpen. U kunt de kokosmelk zelf maken of verpakt kopen.

krab-rijstschotel

voor 4 personen

225 kortkorrelige rijst

1,5 l visbouillon

$^1\!/_2$ tl zout

100 g Chinese worst, fijngesneden

225 g wit krabvlees

6 lente-uitjes, gesneden

2 el verse koriander, gehakt

zwarte peper

TIP VAN DE KOK

Koop krab altijd zo vers mogelijk.
Is dat niet mogelijk, neem dan
krab uit de diepvries of uit blik.
Vaak is verse krab al gekookt. Let
erop dat de krab zwaar aanvoelt
en u binnenin geen water hoort
als u de krab schudt.

1 Doe de rijst in een grote, voorverwarmde wok.

2 Voeg de bouillon toe en breng alles aan de kook.

3 Temper het vuur en laat de rijst dan 1 uur zachtjes koken, van tijd tot tijd roerend.

4 Voeg zout, worst, krabvlees, uitjes en koriander toe en warm alles ongeveer 5 minuten goed door.

5 Doe er wat water bij als de 'rijstpap' te dik is en roer goed om.

6 Schep het gerecht in voorverwarmde kommen, strooi er versgemalen zwarte peper over en serveer meteen.

uienrijst met vijfkruidenkip

voor 4 personen

1 el Chinees vijfkruidenpoeder

2 el maïzena

350 g kippenborstfilet, gesneden

3 el arachideolie

1 ui, gesneden

225 g langkorrelige, witte rijst

½ tl koenjitpoeder

6 dl kippenbouillon

2 el vers bieslook, geknipt

TIP VAN DE KOK

Wees voorzichtig met koenjit,
aangezien het gele vlekken
geeft aan handen en kleding.

1 Doe het vijfkruidenpoeder en de maïzena in een grote kom. Schep de stukjes kip er goed doorheen, zodat ze allemaal bedekt zijn.

2 Verhit 2 eetlepels olie in een grote, voorverwarmde wok en roerbak hierin de kip gedurende 5 minuten. Schep de kip er dan met een schuimspaan uit en zet even apart.

3 Doe de resterende arachideolie in de wok.

4 Voeg de ui toe en fruit deze in 1 minuut glazig.

5 Voeg rijst, koenjit en bouillon toe en breng alles langzaam aan de kook.

6 Doe de kip terug in de wok, temper het vuur en laat alles 10 minuten pruttelen tot het vocht is opgenomen en de rijst gaar is.

7 Roer er het geknipte bieslook door en serveer meteen.

eierrijst met zevenkruidenbiefstuk

voor 4 personen

225 g langkorrelige witte rijst

6 dl water

350 g kogelbiefstuk

2 el donkere sojasaus

2 el tomatenketchup

1 el zevenkruidenpoeder

2 el arachideolie

1 ui, gesneden

225 g wortels, gesneden

100 g doperwten uit de diepvries

2 eieren, losgeklopt

2 el koud water

VARIATIE

U kunt desgewenst de biefstuk door varkensvlees of kip vervangen.

1 Spoel de rijst af met koud water en laat hem goed uitlekken. Breng de rijst in een pan met het water aan de kook, doe het deksel erop en kook de rijst in 12 minuten gaar. Schep de rijst op een schaal en laat hem afkoelen.

2 Snijd met een scherp mes de biefstuk in dunne stukken en leg ze in een grote, diepe schaal.

3 Vermeng de sojasaus, tomatenketchup en het zevenkruidenpoeder en smeer hier de biefstuk rondom mee in.

4 Verhit de olie in een voorverwarmde wok en roerbak hierin de biefstuk 3-4 minuten.

5 Roerbak vervolgens de ui, wortels en erwtjes 2-3 minuten mee. Voeg de gekookte rijst toe en meng alles goed door elkaar.

6 Klop de eieren met 2 eetlepels koud water los. Sprenkel het eimengsel over de rijst en roer 3-4 minuten door tot de rijst goed warm is en het ei gestold. Schep het gerecht in een voorverwarmde kom en serveer het meteen.

chinese kippenrijst

voor 4 personen

350 g langkorrelige witte rijst

1 tl koenjitpoeder

2 el zonnebloemolie

350 g kippenpoten, zonder botjes
en gesneden

1 rode paprika, zonder zaadjes en
gesneden

1 groene paprika, zonder zaadjes en
gesneden

1 groen chilipepertje, zonder
zaadjes en fijngehakt

1 wortel, grof geraspt

150 g taugé

6 lente-uitjes, gesneden

2 el lichte sojasaus

zout

1 Kook de rijst met het koenjit in een grote pan lichtgezouten water in ongeveer 10 minuten net zacht. Laat de rijst goed uitlekken en knijp overtollig water er met keukenpapier uit.

2 Verhit de olie in een grote, voorverwarmde wok.

3 Roerbak hierin op hoog vuur de reepjes kip tot ze goudbruin beginnen te worden.

4 Roerbak de paprika en het pepertje 2-3 minuten mee.

5 Doe beetje voor beetje de rijst erbij, roer steeds goed door tot alles goed is vermengd.

6 Voeg de wortels, taugé en uitjes toe en bak het geheel nog 2 minuten door.

7 Sprenkel de sojasaus erover en schep alles goed door elkaar.

8 Schep het gerecht op een voorverwarmde schaal, garneer het desgewenst met extra lente-uisnippers en serveer het meteen.

rijst met omelet

voor 4 personen

2 el arachideolie

1 ei, losgeklopt met 1 tl water

1 teentje knoflook, fijngehakt

1 uitje, fijngehakt

1 el Thaise rode currypasta

250 g langkorrelige rijst, gekookt

55 g doperwtjes, gekookt

1 el Thaise vissaus

2 el tomatenketchup

2 el verse koriander, gehakt

TER GARNERING

verse rode chilibloemen

plakjes komkommer

1 Pak de chilipepers bij de steel vast en maak de chilibloemen door met de punt van een scherp mes de pepers vanaf de steel naar de punt in de lengte door te snijden. Draai de peper ongeveer een kwartslag om en maak een nieuwe inkeping. Maak zo vier diepe insnijdingen en schraap de zaadjes eruit. Snijd elke bloemdeel nog eens doormidden of in vieren, zodat er in totaal acht of zestien zijn. Leg de pepers in ijswater.

2 Verhit ongeveer 1 theelepel olie in een wok. Verdeel het losgeklopte ei gelijkmatig over de pan. Bak de omelet goudgeel, haal hem uit de pan, rol hem op en bewaar.

3 Doe de resterende olie in de wok en fruit hierin knoflook en ui 1 minuut op matig vuur. Roer de currypasta erbij, de rijst en dan de erwtjes. Laat alles goed warm worden.

4 Roer er de vissaus, tomatenketchup en gehakte koriander door. Haal de pan van het vuur en schep de rijst op een voorverwarmde schaal.

5 Snijd de omelet, zonder uit te rollen, in spiraalvormige rondjes en garneer hiermee de rijst. Voeg de plakjes komkommer en de chilibloemen toe. Serveer heet.

rijst met chinese worst

voor 4 personen

350 g Chinese worst

2 el zonnebloemolie

2 el donkere sojasaus

1 ui, gesneden

175 g wortels, in luciferdunne
  reepjes gesneden

175 g doperwten

100 g blokjes ananas uit blik,
  uitgelekt

275 g langkorrelige rijst, gekookt

1 ei, losgeklopt

1 el verse peterselie, gehakt

1 Snijd de worst met een scherp
mes in dunne plakjes.

2 Verhit de olie in een grote,
voorverwarmde wok. Roerbak
hierin de worst 5 minuten.

3 Roer de sojasaus erdoor en laat
alles ongeveer 2-3 minuten tot
siroop indikken.

4 Roerbak ui, wortels, erwtjes en
ananas 3 minuten mee.

5 Doe de gekookte rijst in de wok
en roerbak dit nog 2-3 minuten
tot de rijst helemaal warm is.

6 Schep het geklopte ei door het
rijstmengsel tot het ei is gestold.

7 Doe het gerecht in een grote,
voorverwarmde kom en strooi er
verse peterselie over. Serveer het
gerecht meteen.

pikant gebakken rijst met varkensvlees

voor 4 personen

450 g varkensfilet

2 el zonnebloemolie

2 el zoete chilisaus, en wat extra
   voor op tafel

1 ui, gesneden

175 g wortels, in luciferdunne
   reepjes

175 g courgettes, in luciferdunne
   reepjes

100 g bamboespruiten uit blik,
   afgespoeld en uitgelekt

275 g langkorrelige rijst, gekookt

1 ei, geklopt

1 el verse peterselie, gehakt

TIP VAN DE KOK

Wie snel klaar wil zijn, kan in
plaats van vers bereide groenten
diepvriesgroenten bij de rijst
doen.

---

1 Snijd met een scherp mes het
varkensvlees in dunne plakken.

2 Verhit de olie in een grote,
voorverwarmde wok.

3 Roerbak hierin het vlees 5 minuten.

4 Voeg de chilisaus toe en laat alles
2-3 minuten pruttelen tot de saus
stroperig wordt.

5 Bak de ui, wortels, courgettes en
bamboespruiten 3 minuten mee.

6 Voeg de gekookte rijst toe en
roerbak de rijst in 2-3 minuten
warm.

7 Schep het losgeklopte ei met
2 lepels goed door de gebakken
rijst en de andere ingrediënten tot het
ei is gestold.

8 Strooi er verse peterselie over en
serveer meteen met naar keuze
extra chilisaus.

noedelsalade met kokos en limoendressing

voor 4 personen

225 g droge eiernoedels

2 tl sesamolie

1 wortel

115 g taugé

1/2 komkommer

2 lente-uitjes, fijngesneden

150 g kalkoenfilet, gekookt en in
    dunne reepjes

DRESSING

5 el kokosmelk

3 el limoensap

1 el lichte sojasaus

2 tl Thaise vissaus

1 tl chiliolie

1 tl suiker

2 el verse koriander, gehakt

2 el verse zoete basilicum, gehakt

TER GARNERING

pinda's

versgehakt basilicum

1 Kook de noedels 4 minuten in kokend water of volg de aanwijzingen op de verpakking. Spoel de noedels dan met koud water om doorgaren te voorkomen. Laat ze uitlekken en roer er sesamolie door.

2 Schaaf met een dunschiller fijne slierten van de wortel. Blancheer de slierten 30 seconden in kokend water en laat ze daarna 30 seconden schrikken met koud water. Laat ze goed uitlekken. Schaaf de komkommer ook in flinterdunne plakjes.

3 Doe wortel, taugé, komkommer, uitjes en kalkoen in een grote kom. Voeg de noedels toe en schep alles goed om.

4 Doe alle ingrediënten voor de dressing in een afsluitbare pot en schud alles goed door elkaar.

5 Sprenkel de dressing door het noedelmengsel. Schep de salade op een schaal en bestrooi met pinda's en basilicum. Serveer de salade koud.

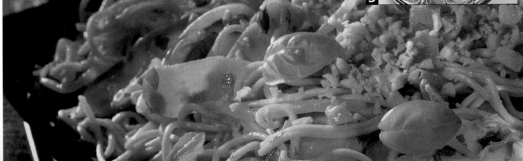

eiernoedels met kip en oestersaus

voor 4 personen

250 g eiernoedels

450 g kippenpoten, zonder botjes

2 el arachideolie

100 g wortels, gesneden

3 el oestersaus

2 eieren

3 el koud water

VARIATIE

Breng de eieren desgewenst op smaak met soja- of hoisinsaus in plaats van met oestersaus.

1 Doe de noedels in een grote kom. Bedek ze helemaal met kokend water en laat ze 10 minuten weken.

2 Ontvel intussen de kippenpoten en snijd ze met een scherp mes in kleine stukjes.

3 Verhit de arachideolie in een grote, voorverwarmde wok. Draai de pan rond tot de olie heel heet is.

4 Roerbak hierin de kip en de wortels ongeveer 5 minuten.

5 Laat de noedels goed uitlekken en roerbak ze dan 2-3 minuten mee tot ze goed warm zijn.

6 Klop de eieren los met de oestersaus en het water. Sprenkel dit mengsel over de noedels en bak alles nog 2-3 minuten door tot het ei gestold is.

7 Schep het gerecht in voorverwarmde kommen en serveer het heet.

pikant rundvlees met krokante noedels

voor 4 personen

225 g eiernoedels (medium)

350 g biefstuk

2 el zonnebloemolie

1 tl gemberpoeder

1 teentje knoflook, uitgeperst

1 vers rood pepertje, zonder zaadjes
en fijngehakt

100 g wortels, in luciferdunne
reepjes

6 lente-uitjes, gesneden

2 el limoenmarmelade

2 el donkere sojasaus

frituurolie

1 Doe de noedels in een grote kom.
Bedek ze helemaal met kokend
water en laat ze 10 minuten weken,
terwijl u de overige ingrediënten
roerbakt.

2 Snijd de biefstuk met een scherp
mes in dunne plakken.

3 Verhit de zonnebloemolie in een
grote, voorverwarmde wok.

4 Roerbak hierin de biefstuk met
het gemberpoeder ongeveer
5 minuten.

5 Bak knoflook, pepertje, wortels en
uitjes 2-3 minuten mee.

6 Voeg de marmelade en de
sojasaus toe en laat het 2 minuten pruttelen. Schep het uit de pan en
houd het warm tot gebruik.

7 Verhit op hoog vuur de frituurolie
in de wok.

8 Laat de noedels goed uitlekken en
dep ze droog met keukenpapier.
Bak ze dan voorzichtig 2-3 minuten in
de hete olie tot ze krokant zijn. Laat ze
uitlekken op keukenpapier.

9 Verdeel de noedels over vier
voorverwarmde borden en leg er
de biefstuk met het gembermengsel
op. Serveer de maaltijd meteen.

singaporese garnalennoedels

voor 4 personen

250 g fijne rijstnoedels

4 el arachideolie

2 teentjes knoflook, uitgeperst

2 verse rode pepertjes, zonder
   zaadjes en fijngehakt

1 tl verse gemberwortel, geraspt

2 el Madras-currypasta

2 el rijstwijnazijn

1 el poedersuiker

225 g gekookte ham, fijngesneden

100 g waterkastanjes uit blik,
   gesneden

100 g champignons, gesneden

100 g doperwten

1 rode paprika, zonder zaadjes en
   fijngesneden

100 g garnalen, gepeld en gekookt

2 grote eieren

4 el kokosmelk

25 g droog kokos

2 el verse koriander, gehakt

1 Doe de noedels in een grote kom. Bedek ze helemaal met kokend water en laat ze 10 minuten weken. Laat ze goed uitlekken en roer er dan 2 eetlepels arachideolie door.

2 Verhit de resterende arachideolie in een grote, voorverwarmde wok tot de olie gloeiend heet is.

3 Roerbak hierin knoflook, pepertjes, gember, currypasta, azijn en suiker 1 minuut.

4 Roerbak dan de ham, kastanjes, champignons, erwtjes en paprika 5 minuten mee.

5 Bak vervolgens de noedels en de garnalen 2 minuten mee.

6 Klop in een kleine kom de eieren met de kokosmelk los. Sprenkel dit mengsel over het gerecht in de wok en roer tot het ei is gestold.

7 Roer er het kokos en de verse koriander door. Schep het noedelgerecht op voorverwarmde borden en serveer het meteen.

thaise noedels

voor 4 personen

250 g brede rijstnoedels

3 el arachideolie

3 teentjes knoflook, fijngehakt

115 g varkensfilet, in stukjes van
5 mm

200 g garnalen, gepeld en gekookt

1 el suiker

3 el Thaise vissaus

1 el tomatenketchup

1 el limoensap

2 eieren, losgeklopt

115 g taugé

TER GARNERING

1 tl gedroogde chilivlokken

2 lente-uitjes, fijngesneden

1 Week de noedels ongeveer 10 minuten in heet water of volg de aanwijzingen op de verpakking. Laat ze goed uitlekken en zet ze apart.

TIP VAN DE KOK

Laat de noedels goed uitlekken alvorens ze, in stap 4, in de wok te doen; te veel vocht maakt het gerecht papperig.

2 Verhit de arachideolie in een wok en fruit hierin op hoog vuur het knoflook 30 seconden. Roerbak dan het varkensvlees 2-3 minuten tot het rondom bruin ziet.

3 Roer de garnalen erdoor en voeg dan suiker, vissaus, ketchup en limoensap toe. Roer nog eens 30 seconden.

4 Voeg de eieren toe en blijf roeren tot ze bijna zijn gestold. Doe vervolgens de noedels en de taugé in de wok en verwarm alles nog zachtjes in 30 seconden.

5 Schep het op een voorverwarmde schaal, bestrooi met chilivlokken en uitjes en serveer het heet.

gebakken rijst met garnalen

voor 4 personen

300 g langkorrelige rijst

2 eieren

4 tl koud water

3 el zonnebloemolie

4 lente-uitjes, in dunne, schuine

    plakjes gesneden

1 teentje knoflook, uitgeperst

125 g champignons, fijngesneden

2 el oester- of ansjovissaus

200 g waterkastanjes uit blik,

    uitgelekt en gesneden

250 g verse (of ontdooide) garna-

    len, gekookt en gepeld

zout en peper

waterkers, gehakt (naar keuze)

1 Breng een pan met lichtgezouten water aan de kook. Doe er de rijst in en breng het water opnieuw aan de kook. Temper het vuur en kook de rijst in 15-20 minuten gaar. Laat de rijst uitlekken, spoel hem met versgekookt water en laat hem weer uitlekken. Houd de rijst warm.

2 Klop elk ei apart met 2 theelepels koud water en zout en peper.

3 Verhit 2 eetlepels olie in een wok of grote koekenpan, draai de pan rond tot hij gloeiend heet is. Doe het eerste ei erin en bak een omelet. Haal hem eruit en doe hetzelfde met het tweede ei. Snijd de omeletten in vierkantjes van 2,5 centimeter.

4 Verhit de resterende olie in de wok. Fruit hierin, als de olie goed heet is, ui en knoflook gedurende 1 minuut. Bak dan de champignons 2 minuten mee.

5 Roer de oester- of ansjovissaus erdoor en zout en peper. Voeg dan de kastanjes en garnalen toe en bak deze 2 minuten door.

6 Bak de gekookte rijst een minuutje mee, voeg dan de stukjes omelet toe en roerbak alles in nog eens 1-2 minuten gloeiend heet. Serveer het meteen, desgewenst met gehakte waterkers.

krokante rijstnoedels

voor 4 personen

plantaardige frituurolie, plus 1¹/₂ el
  voor roerbakken

200 rijstvermicelli

1 ui, fijngehakt

4 teentjes knoflook, fijngehakt

1 kippenborst, zonder vel en botjes,
  fijngehakt

2 verse pili-pilipepertjes, zonder
  zaadjes en gesneden

3 el gedroogde garnalen

4 el gedroogde zwarte paddestoelen, geweekt en fijngesneden

4 lente-uitjes, gesneden

3 el limoensap

2 el lichte sojasaus

2 el Thaise vissaus

2 el rijstazijn

2 el lichtbruine basterdsuiker

2 eieren, losgeklopt

3 el verse koriander, gehakt

lente-uitjes, in ringen, ter garnering

1 Verhit de olie in een wok en frituur de noedels snel, af en toe omscheppend, tot ze opspringen en krokant en licht goudbruin zijn. Laat ze op keukenpapier goed uitlekken. Verwijder de olie.

2 Verhit 1 eetlepel olie en fruit hierin ui en knoflook 1 minuut. Roerbak de kip 3 minuten mee. Voeg dan de pepertjes, garnalen, paddestoelen en uitjes toe.

3 Vermeng limoensap, sojasaus, vissaus, rijstazijn en suiker en kook dit mengsel een minuut mee. Zet dan het vuur uit.

4 Verhit de resterende olie in een brede pan en laat hierin de eieren gelijkmatig dun uitlopen. Bak een aan weerskanten goudgele omelet. Haal hem uit de pan, rol hem op en snijd hem in lange, dunne reepjes.

5 Schep de noedels, geroerbakte ingrediënten, koriander en omeletreepjes door elkaar. Garneer het gerecht met uienringen en serveer het meteen.

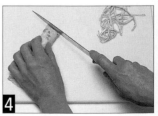

gebakken lamsvlees met noedels

voor 4 personen

250 g eiernoedels

450 g lamshaasjes, fijngesneden

2 el donkere sojasaus

2 el zonnebloemolie

2 teentjes knoflook, uitgeperst

1 el poedersuiker

2 el oestersaus

175 g verse spinazie

TIP VAN DE KOK

Droge noedels hoeven minder lang te weken; volg de aanwijzingen op het pak.

1 Doe de noedels in een grote kom. Bedek ze helemaal met kokend water en laat ze 10 minuten weken, of volg de aanwijzingen op het pak.

2 Breng een grote pan water aan de kook. Kook hierin het lamsvlees 5 minuten en laat het goed uitlekken.

3 Doe de plakken lamsvlees in een kom en vermeng ze met de sojasaus en 1 eetlepel zonnebloemolie.

4 Verhit de resterende zonnebloemolie in een wok en draai de wok rond tot de olie heel heet is.

5 Roerbak hierin het gemarineerde lamsvlees en het knoflook ongeveer 5 minuten tot het vlees bruin begint te worden.

6 Meng de suiker en de oestersaus er goed doorheen.

7 Laat de noedels goed uitlekken en roerbak ze dan 5 minuten mee.

8 Bak de spinazie 1 minuut mee tot hij gaat slinken. Schep het gerecht in kommen en serveer het heet.

chinese rijst met groenten

voor 4 personen

350 g langkorrelige rijst

1 tl koenjit

2 el zonnebloemolie

225 g courgettes, gesneden

2 paprika's: een rode en een
    groene, zonder zaadjes en
    gesneden

1 vers groen chilipepertje, zonder
    zaadjes en fijngehakt

1 wortel, grof geraspt

150 g spruiten

6 lente-uitjes, gesneden, plus extra
    ter garnering (naar keuze)

2 el lichte sojasaus

zout

TIP VAN DE KOK

Iets verfijnder dan koenjit is
saffraan, geweekt in kokend
water.

---

1 Breng de rijst en de koenjit in een pan met lichtgezouten water aan de kook. Temper het vuur en kook de rijst in 12-15 minuten net gaar. Laat de rijst goed uitlekken en knijp overtollig vocht met keukenpapier eruit. Zet de rijst weg tot gebruik.

2 Verhit de zonnebloemolie in een grote, voorverwarmde wok.

3 Roerbak hierin de courgettes ongeveer 2 minuten.

4 Roerbak de paprika's en het pepertje 2-3 minuten mee.

5 Voeg beetje voor beetje de rijst toe en roer steeds goed door.

6 Voeg de wortel, taugé en uitjes toe en roerbak deze nog 2 minuten mee.

7 Sprenkel er de sojasaus over en serveer het gerecht meteen, desgewenst gegarneerd met uitjes.

thaise noedelrösti's

voor 4 personen

125 g rijstvermicelli

7 lente-uitjes, fijngesneden

1 stengel citroengras, fijngesneden

3 el verse kokos, fijngesneden

plantaardige olie, om te bakken

verse rode chilipepertjes

OM TE SERVEREN

115 g taugé

1 rood uitje, fijngesneden

1 avocado, geschild, zonder pit en
 fijngesneden

2 el limoensap

2 el Chinese rijstwijn

1 tl chilisaus

1 Breek de rijstnoedels in korte stukjes en week ze ongeveer 4 minuten in heet water of volg de aanwijzingen op de verpakking. Laat ze goed uitlekken en dep ze droog met keukenpapier.

2 Vermeng de noedels met de uitjes, het citroengras en het kokos.

3 Maak in een wok of zware koekenpan een beetje olie heel heet. Bestrijk de binnenkant van een ronde bakvorm van 9 centimeter met olie en leg hem in de pan. Schep een beetje noedelmengsel in de vorm en druk het lichtjes aan met de achterkant van een lepel.

4 Bak de rösti 30 seconden aan, verwijder dan voorzichtig de vorm en bak de rösti door tot deze bruin is. Draai hem een keer met een spatel. Laat de rösti uitlekken op keukenpapier. Maak zo ongeveer twaalf stuks rösti in totaal.

5 Maak kleine stapels van de rösti en leg er taugé, uienringen en plakjes avocado tussen. Meng het limoensap met de rijstwijn en de chilisaus en besprenkel elke stapel rösti vlak voor het opdienen met dit mengsel. Garneer met rode chilipeper.

rijstnoedels met spinazie

voor 4 personen

115 g brede rijstnoedels

2 el gedroogde garnalen (evt.)

250 g verse jonge spinazie

1 el arachideolie

2 teentjes knoflook, fijngehakt

2 tl Thaise groene currypasta

1 tl suiker

1 el lichte sojasaus

TIP VAN DE KOK

Verse jonge spinazie is voor dit gerecht het lekkerst, want de blaadjes zijn mooi zacht en in enkele seconden gaar. Snijd bij oudere spinazie de blaadjes klein voor gebruik, zodat ze sneller gaar worden.

3 Was de spinazie, laat deze goed uitlekken en dep de blaadjes droog met keukenpapier. Verwijder harde stelen.

1 Week de rijstnoedels 15 minuten in heet water of volg de aanwijzingen op de verpakking. Laat ze goed uitlekken.

4 Verhit de olie in een voorverwarmde wok en fruit hierin het knoflook 1 minuut en roerbak dan de currypasta 30 seconden mee. Roer er (desgewenst) de geweekte garnalen door en bak nog 30 seconden door.

2 Doe, wanneer u ze gebruikt, de garnalen in een kleine kom en week ze 10 minuten in ruim heet water. Laat ze uitlekken.

5 Roerbak de spinazie 1-2 minuten mee tot de blaadjes net zijn geslonken.

6 Voeg suiker en sojasaus toe, dan de noedels en roer het goed door. Schep dit op een voorverwarmde schaal en serveer het meteen.

243

dronken noedels

175 g brede rijstnoedels

2 el plantaardige olie

1 teentje knoflook, uitgeperst

2 verse groene chilipepertjes

1 uitje, fijngesneden

150 g mager varkensgehakt

1 kleine groene paprika, zonder

    zaadjes en fijngehakt

4 djeroek poeroetblaadjes, gesneden

1 el donkere sojasaus

1 el lichte sojasaus

½ tl suiker

1 tomaat, in dunne plakjes

2 el verse blaadjes basilicum,

    fijngesneden, ter garnering

OM TE SERVEREN

blaadjes sla

radijzen

1 Week de noedels 15 minuten in heet water of volg de aanwijzingen op de verpakking.

2 Verhit de olie in een voorverwarmde wok en fruit hierin het uitgeperste knoflook, de gehakte pepers en de gesneden ui 1 minuut.

3 Bak het gehakt een minuutje op hoog vuur mee, voeg dan de paprika toe en roerbak nog 2 minuten door.

4 Voeg djeroek poeroet, soja, suiker, noedels en tomaat toe en verwarm alles goed.

5 Strooi er basilicum over en serveer het met sla en radijs.

TIP VAN DE KOK

Blaadjes verse djeroek poeroet zijn goed in te vriezen. In een luchtdichte plastic zak zijn ze in de vriezer een maand houdbaar. Ontdooien voor gebruik is niet nodig.

pikante noedels met garnalen

voor 4 personen

2 el lichte sojasaus

1 el limoen- of citroensap

1 el Thaise vissaus

125 g stevige tofu (uitlekgewicht)

125 g cellofaannoedels

2 el zonnebloemolie

4 sjalotjes, fijngesneden

2 teentjes knoflook, uitgeperst

1 vers rood chilipepertje, zonder
   zaadjes en fijngehakt

2 stengels selderij, fijngesneden

2 wortels, fijngesneden

125 g garnalen, gepeld en gekookt

55 g taugé

TER GARNERING

blaadjes bleekselderij

verse chilipepertjes

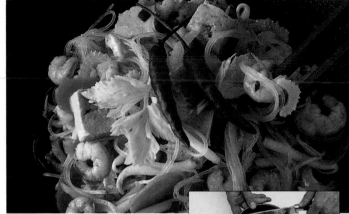

2 Doe de noedels in een grote kom en bedek ze met warm water. Week ze hierin ongeveer 5 minuten en laat ze goed uitlekken.

3 Verhit de zonnebloemolie in en voorverwarmde wok. Fruit hierin de sjalotjes, het knoflook en het pepertje 1 minuut.

1 Vermeng de sojasaus, het limoen- of citroensap en de vissaus in een kom. Snijd de tofu met een scherp mes in blokjes van 1-2 centimeter en schep ze goed door het sojamengsel. Dek de kom af met huishoudfolie en laat de tofu 15 minuten marineren.

4 Roerbak de gesneden selderij en wortels 2-3 minuten mee.

5 Kook de uitgelekte noedels al roerend 2 minuten mee en voeg dan de garnalen, taugé en gemarineerde tofu aan het sojamengsel toe. Roerbak alles op matig vuur in 2-3 minuten goed warm.

6 Schep het gerecht op een voorverwarmde schaal en garneer met blaadjes selderij en verse chilipepers. Serveer het meteen.

cellofaannoedels met scampi's

voor 4 personen

175 g cellofaannoedels

1 el plantaardige olie

1 teentje knoflook, uitgeperst

2 tl verse gemberwortel, geraspt

24 rauwe scampi's, gepeld

1 rode paprika, zonder zaadjes en
   fijngesneden

1 groene paprika, zonder zaadjes en
   fijngesneden

1 ui, gehakt

2 el lichte sojasaus

sap van 1 sinaasappel

2 tl wijnazijn

snufje bruine suiker

1,5 dl visbouillon

1 el maïzena

2 tl water

schijfjes sinaasappel, ter garnering

1 Kook de noedels 1 minuut in kokend water. Laat ze uitlekken, spoel ze af en laat opnieuw uitlekken.

2 Verhit de olie in een voorverwarmde wok. Fruit hierin knoflook en gember 30 seconden.

3 Roerbak de scampi's 2 minuten mee. Schep ze met een schuimspaan uit de pan en houd ze warm.

4 Roerbak de paprika's en de ui 2 minuten mee. Voeg dan sojasaus, sinaasappelsap, azijn, suiker en bouillon toe en vervolgens de scampi's. Kook ze in 8-10 minuten gaar.

5 Bind de maïzena met het water en doe het mengsel in de wok. Breng aan de kook, voeg de noedels toe en kook alles nog 1-2 minuten. Garneer en serveer.

japanse noedels met paddestoelen

voor 4 personen

250 g Japanse eiernoedels

2 el zonnebloemolie

1 rode ui, gesneden

1 teentje knoflook, uitgeperst

450 g gemengde paddestoelen
 (shii-takes, oesterzwammen,
 kastanjechampignons)

350 g paksoi

2 el zoete sherry

6 el oestersaus

4 lente-uitjes, gesneden

1 el sesamzaadjes, geroosterd

TIP VAN DE KOK

In de supermarkt is tegenwoordig een grote verscheidenheid
aan paddestoelen verkrijgbaar.
Vind u ze niet, neem dan de
gewone witte champignons of
kastanjechampignons.

---

1 Doe de Japanse eiernoedels in een grote kom. Giet er ruim kokend water over en laat ze 10 minuten weken.

2 Verhit de zonnebloemolie in een grote, voorverwarmde wok.

3 Fruit hierin de uienringen en het knoflook in 2-3 minuten zacht.

4 Roerbak de gesneden paddestoe-len ongeveer 5 minuten mee tot ze zacht zijn.

5 Doe de noedels in een vergiet en laat ze uitlekken.

6 Doe de paksoi, de uitgelekte noedels, de zoete sherry en de oestersaus in de wok. Meng alle ingrediënten door elkaar en roerbak ze 2-3 minuten tot het vocht begint te borrelen.

7 Schep het gerecht in voorver-warmde kommen en bestrooi het met de uienringen en geroosterde sesamzaadjes. Serveer het meteen.

rijstnoedels met paddestoelen en tofu

voor 4 personen

225 g brede rijstnoedels

2 el arachideolie

1 teentje knoflook, fijngehakt

stukje verse gemberwortel van

   2 cm, fijngehakt

4 sjalotjes, fijngesneden

70 g shii-takes, gesneden

100 g stevige tofu (uitlekgewicht),

   gesneden in kleine dobbelstenen

2 el lichte sojasaus

1 el rijstwijn

1 el Thaise vissaus

1 el pindakaas

1 tl chilisaus

2 el pinda's, geroosterd en

   fijngehakt

verse blaadjes basilicum, gesneden

1 Week de noedels 15 minuten in
heet water of volg de instructies
op de verpakking. Laat ze uitlekken.

TIP VAN DE KOK

Wie snel klaar wil zijn, vervangt
de shii-takes door een blik goed
uitgelekte Chinese champignons.

2 Verhit de olie in een voorverwarmde wok en fruit hierin
knoflook, gember en sjalotjes in
1-2 minuten zacht en lichtbruin.

3 Roerbak de paddestoelen
2-3 minuten mee op matig vuur.
Roer er de blokjes tofu door en bak ze
langzaam lichtbruin.

4 Vermeng sojasaus, rijstwijn,
vissaus, pindakaas en chilisaus en
voeg dit mengsel toe. Roer alles goed
door.

5 Roer de noedels gelijkmatig door
de saus. Bestrooi het geheel met
pinda's en basilicum. Serveer het
gerecht heet.

chow mein met kip

voor 4 personen

250 g ronde eiernoedels

2 el zonnebloemolie

275 g gekookte kippenborst, gesneden

1 teentje knoflook, fijngehakt

1 rode paprika, zonder zaadjes en fijngesneden

100 g shii-takes, gesneden

6 lente-uitjes, gesneden

100 g taugé

3 el lichte sojasaus

1 el sesamolie

1 Breek de noedels een beetje los en doe ze in een grote kom of schaal. Giet er ruim kokend water over en week ze daarin 10 minuten.

2 Verhit de zonnebloemolie in een grote, voorverwarmde wok. Roerbak hierin de kip, het fijngehakte knoflook, de paprika, paddestoelen, uitjes en taugé ongeveer 5 minuten.

3 Laat de noedels in een vergiet goed uitlekken en voeg ze dan toe aan het gerecht in de wok. Roerbak ze 5 minuten mee.

4 Sprenkel er de sojasaus over en schep alles goed door elkaar.

5 Schep het gerecht op voorverwarmde borden en serveer het meteen.

VARIATIE

Voor een vegetarische chow mein kunt u elke willekeurige groente nemen.

kabeljauw met mango en noedels

voor 4 personen

250 g eiernoedels

450 g kabeljauwfilet, zonder vel

1 el paprikapoeder

2 el zonnebloemolie

1 rode ui, gesneden

1 oranje paprika, zonder zaadjes en
    gesneden

1 groene paprika, zonder zaadjes en
    gesneden

100 g babymaïskolfjes, gehalveerd

1 mango, geschild, ontpit, gesneden

100 g taugé

2 el tomatenketchup

2 el lichte sojasaus

2 el medium sherry

1 tl maïzena

1 Doe de eiernoedels in een grote kom en giet er ruim kokend water over. Laat ze hierin ongeveer 10 minuten weken.

2 Spoel de kabeljauw af en dep hem droog met keukenpapier. Snijd de vis in dunne repen.

3 Doe de vis in een grote kom en roer de paprikapoeder erdoor.

4 Verhit de olie in een grote, voorverwarmde wok.

5 Roerbak hierin ui, paprika en maïs ongeveer 5 minuten.

6 Bak de kabeljauw en de mango 2-3 minuten mee tot de vis gaar is.

7 Voeg de taugé toe en meng alles goed door.

8 Meng tomatenketchup, sojasaus, sherry en maïzena door elkaar. Doe het mengsel in de wok en laat het al roerend indikken.

9 Laat de noedels goed uitlekken en schep ze in voorverwarmde kommen. Schep het kabeljauw-mangomengsel in aparte voorverwarmde kommen en serveer deze meteen.